D1470417

JOURNAL
D'UN AMOUR PERDU

ÉRIC-EMMANUEL SCHMITT
de l'académie Goncourt

JOURNAL D'UN AMOUR PERDU

ALBIN MICHEL

IL A ÉTÉ TIRÉ DE CET OUVRAGE

Trente exemplaires
sur vélin bouffant des papeteries Salzer
dont vingt exemplaires numérotés de 1 à 20
et dix exemplaires, hors commerce, numérotés de I à X

Maman est morte ce matin et c'est la première fois qu'elle me fait de la peine.

Ce soir, brisé d'avoir tant pleuré, je n'ai pas l'impression qu'elle m'a quitté, plutôt la crainte de l'avoir abandonnée. Je m'inquiète... Où se trouve-t-elle ? A-t-elle besoin de moi ?

Je voudrais courir jusqu'à ce lieu inconnu qu'elle découvre, la soutenir, chasser son effroi, enlacer son épaule, caler sa main au creux de mon coude puis lui chuchoter à l'oreille : « Ça va d'aller. » Peut-être s'esclafferait-elle – elle riait quand j'imitais les gens de Charleroi. « Ça va d'aller ! » Depuis cinquante-six ans, sitôt que, réunis, nous marchions côte à côte, nous nous sentions forts, sereins, au centre d'un univers dont les paysages s'organisaient sous nos pas. Maman m'éclairait, je l'éclairais, nous rayonnions, invincibles, et les ténèbres s'écartaient, repoussées par notre flamme.

Après la vie, nous aurions apprivoisé la mort ensemble, non ?

Je ne supporte pas qu'elle meure seule, même si on meurt toujours seul.

Je ne supporte pas qu'elle parte sans moi, bien que, m'objecterait-elle, on n'emmène pas son fils dans un pareil voyage ! Elle s'est donc retirée bravement, sur la pointe des pieds, solitaire. Maman demeure une mère jusqu'au bout.

Comment ai-je pu ne rien éprouver, à l'aube, au moment où elle défaillait ? Puisque nous étions si proches, attachés par des liens solides, insérés dans une toile de vibrations qui traversaient en une seconde les six cents kilomètres séparant Lyon de Bruxelles, j'aurais dû aussitôt apprendre son trépas de moi, en moi, par intuition, télépathie, fièvre ! Au lieu de cela, je me suis levé euphorique, j'ai regardé le jour doré qui s'annonçait, j'ai contemplé le cerisier du Japon gonflé par mille fleurs mousseuses lorsqu'un appel téléphonique...

Je ne comprends pas : elle a expiré, je n'ai rien perçu. Rien.

Alors tout – vraiment tout – s'effondre.

Maman, tu es morte ce matin et c'est la première fois que tu me fais de la peine.

De toi, je n'ai reçu que de la tendresse, de l'attention,

de la considération, de l'enthousiasme. De toi, j'ai recueilli la passion d'exister, le désir d'admirer, l'ivresse d'entreprendre. De toi, je ne conserve aucun mauvais souvenir, seulement chaleur, lumière, joie. Pas moyen de déterrer un instant où ton sourire se serait fermé, où ton écoute aurait failli, où une éclipse aurait terni ta bienveillance. Impossible de me rappeler la seconde où tu m'aurais déçu. Ton amour se révélait aussi généreux qu'inusable.

Tout cela serait-il anéanti ? La mort, cette fourbe, a-t-elle réussi à frapper ma mère en traître, elle, une ancienne championne de sprint, une athlète de haut niveau, un corps robuste que le temps avait épargné ?

Maman morte...

Je trace ces mots pour me convaincre que j'énonce une réalité, tenté depuis des heures d'attribuer mon chagrin à un cauchemar.

Une femme m'a porté, mis au monde, m'a permis de grandir, de mûrir, m'a transformé en homme heureux, puis, une fois assurée de mon autonomie, m'a accompagné à distance ; or je me rends compte qu'au fond de l'adulte présumé subsistait un petit garçon qui pensait sa mère tellement belle, guérisseuse, puissante, qu'elle triompherait aussi de la camarde. « Ma mère ? Elle va la tuer, la mort ! »

Ce petit garçon s'est éteint aujourd'hui.

Avec elle.

*

Un jour comme les autres, tout devient différent.
On nous annonce une mort, une naissance, et dès
lors rien ne sera plus jamais pareil.

*

Me voici dans le train qui me conduit à Lyon où ma
famille de sang m'attend.

Un brutal coup de téléphone… J'ai toujours abo-
miné cet engin, le visage industriel, technologique, plas-
tifié du destin.

Hier, le matin exhalait un parfum de printemps, vif,
aigu, dru, frémissant, augure de renouveau. Les trois
chiens s'amusaient à batailler dans le jardin qu'un soleil
safran éclaboussait, réchauffant la pelouse anémiée,
pressant le timide lilas, incitant les massifs à bourgeon-
ner ; se préparait une de ces journées qui aiguillonnent le
goût de vivre et nous abandonnent le soir, fourbus,
étourdis d'avoir tant vibré. Je me délectais à la perspective d'écrire durant des heures au sein de cette lumière.

Sur le chemin du dressing, après ma douche, je notai
que mon téléphone affichait plusieurs appels. Entrete-
nant des relations distantes avec ce casseur d'intimité, je

10

le négligeai et m'habillai, paisible. Au bruit d'un tiroir, celui des chaussettes, les chiens étaient accourus joyeusement pour les saisir et m'obliger à les poursuivre dans les couloirs et les escaliers, d'autant plus allègres que les chaussettes annoncent les chaussures, et les chaussures la longue promenade chérie à travers la forêt…

Entre deux galopades et quelques combats feints, en jetant un œil furtif sur l'écran, je constatai que Florence m'avait contacté quatre fois. Comme ma sœur a la téléphonade parcimonieuse, j'appréhendai aussitôt le pire.

Je composai son numéro, elle décrocha et j'entendis une respiration oppressée.

– Tu m'as appelé, Florence ?

Elle pleurait. J'insistai, de plus en plus inquiet :

– Quoi ?

– …

– Que se passe-t-il ?

– Ma petite maman…, parvint-elle à articuler entre deux hoquets.

J'avais compris. Une trappe s'ouvrait sous mes pieds, me précipitant dans un autre monde, un monde froid, anguleux, inconfortable, hostile, où ma sœur et moi croupirions, prisonniers à jamais. La nouvelle que je redoutais depuis cinquante ans venait de jaillir : Maman morte. Voilà. C'est maintenant. Aujourd'hui. Fini.

– Non !

Je gémis « Non » pour nier, « Non » pour rattraper Maman qui dévalait au fond d'un gouffre, « Non ! ».

Lorsque je m'écroulai, Daphné, ma jeune chienne, se rua sur moi, paniquée. Je ne cessais de sangloter tandis qu'elle léchait mes larmes. Impuissante, elle geignait, piétinait, recommençait, me pétrissait de ses pattes, fourrait sa truffe au creux de mon cou, affligée par mon état, bien décidée à me réparer, coûte que coûte, à coups de langue. Harassé, je la laissai s'activer ; je n'allais pas rejeter un peu d'amour alors que ma mère, ma plus importante source d'amour, me faussait compagnie.

« Non ! »

Toujours « Non » !

Rien que « Non » !

Daphné m'escorta jusqu'au lit où je me traînai et, malgré l'interdit, se hissa sur la couette, résolue à me guérir. Daphné, minuscule et bouleversante. Daphné, dérisoire et magnifique.

Une heure après, quand j'ai reparlé, j'ai appelé mes proches. Bruno, Gisèle, Yann, Maïa, tous m'ont très vite rejoint à la maison et ont succédé à Daphné. Sans davantage de succès…

Je n'étais pas seul, certes, mais j'avancerais dorénavant privé de ma mère. Y parviendrais-je ?

« Prochain arrêt : aéroport Roissy-Charles-de-Gaulle. »
La voix chantante et ferroviaire énonce la succession
des gares. Sa tranquillité me choque. Quoi ? Les trains
roulent, les voyageurs circulent, l'herbe pousse, le soleil
brille, la Terre tourne, la vie continue… Ils ne savent
donc pas ?

Je croyais que la douleur tuait. Or le corps reste bête,
borné, coriace, détenteur de trop de forces – pulsions,
appétits, puissances réparatrices – pour ne pas poursuivre sa besogne opiniâtre, quand bien même l'esprit
voudrait l'arrêter. Comme j'aurais souhaité disparaître à
l'instant où j'entendais la nouvelle ! Je n'aurais pas suc-
combé à ma peine, j'aurais péri avant.

Peut-être aurais-je trépassé pour l'éviter…

Au lieu de cela, mon corps, qui n'a pas pris la mesure
de la situation, me condamne à la désolation. Malgré
mon abattement, il manifestait hier le besoin de manger,
il a dormi cette nuit et, ce matin, il a soif… Il demeure
obscènement sain, acculant mon esprit à la souffrance,
un supplice qui, loin de décroître, s'intensifie.

Bref, on ne meurt pas de chagrin.

En tout cas, pas d'un coup.

Alors à petit feu, à l'usure ?

Si seulement…

« Prochain arrêt : gare de Chessy, Marne-la-Vallée. »

Recroquevillé dans un fauteuil isolé, la tête orientée vers le paysage qui défile avec affolement, j'échoue à contenir ma peine. Les larmes affluent, sensibles, réagissant à la moindre de mes pensées, et coulent derrière mes lunettes fumées. Je les essuie contre mon pull aux manches mouillées.

Une femme s'approche, brune, splendide, raffinée, dans l'éclat de sa maturité. Elle me considère et se penche.

– J'aime beaucoup vos livres.

Voit-elle les pleurs qui ruissellent le long de mes joues ? Ne les voit-elle pas ? Elle me sourit.

– Je tenais à vous le dire.

Et l'inconnue s'éloigne, légère, charmante. A-t-elle deviné ? Rien ? Tout ? La douceur de son attention me bouleverse, j'y perçois une délicatesse féminine qui m'évoque Maman et je susurre « Merci », trop tard, d'une voix inaudible, tandis qu'elle franchit la porte de la rame.

Mes sanglots redoublent et je tente de les réfréner en fixant un point dans le ciel, derrière la vitre. Ce témoignage d'affection m'a transpercé, comme s'il vrillait la peau d'un grand brûlé. Je découvre une réalité nouvelle : il va falloir apprendre à avancer sans Maman ; apprendre à être apprécié sans le lui rapporter ; apprendre à recevoir des cadeaux sans galoper vers elle pour les lui montrer, tout fier, tel le gamin de jadis ; apprendre à ne plus vivre mon histoire à deux.

Déchéance…

Depuis toujours, ma mère élargissait mes jours aux dimensions d'un poème : je vivais deux fois, une fois pour en jouir, une fois pour le lui relater. Un coup pour moi, un coup pour elle. Les événements que je traversais sécrétaient un récit que je lui destinais, que j'essayais de clarifier, d'orner, de rehausser, guettant son œil curieux, provoquant son ébahissement, la rejoignant dans le fou rire. Certes, je ne lui contais pas tout – je gardais des secrets et nous partagions une immense pudeur –, mais je recyclais une large part de mes rencontres, de mes sentiments, de mes agacements, de mes regrets, de mes sarcasmes, dans la gazette que je lui concoctais. Pendant plus de cinquante ans, j'ai bénéficié de deux existences, une réelle, une narrée.

Je ne possède plus qu'une seule vie, la mienne. Adieu à la vie pour nous deux. Adieu à la vie en mots.

Est-ce pour cette raison que ce journal prend tant d'importance depuis hier ? Remplace-t-il la parole que je lui adressais ?

« Prochain arrêt : gare du Creusot TGV. »

Je redresse la tête. Assez pleuré ! D'où viennent ces larmes ? Comment puis-je en contenir autant ?

Maman détesterait me voir si triste et ne tolérerait pas que je me répande. Pire, mon état l'offenserait : elle craindrait d'avoir raté mon éducation.

Ne pas la décevoir.

« Prochain arrêt : gare de Lyon Part-Dieu. »

Lorsque je débarque à Lyon, ma ville natale, ma montre me rappelle la date du jour, 28 mars.

Ici, il y a cinquante-sept ans exactement, ma mère me mettait au monde ; en cet anniversaire, je reviens pour la conduire à sa dernière demeure.

J'entame ma première journée d'orphelin.

Je ne suis plus l'enfant de personne.

*

Une heure du matin. Pas moyen de dormir.

J'ai accepté l'offre de Florence – coucher chez elle – tant j'aspire à me trouver à côté de ma grande sœur, que j'appelle ma « petite sœur » par affection. Elle et Alain, son mari, ont-ils gagné le sommeil dans la pièce voisine ? Et Stéphane et Thibaut, mes neveux, derrière la cloison ?

Mieux vaut écrire pour échapper aux turbulences ! Je saute du lit où je tournais tel un ballot sur le pont d'un bateau durant une tempête, m'assois devant le bureau exigu et poursuis la rédaction de ce journal.

Rentrer à Lyon me brisa. Un Lyon où Maman ne m'attendait pas, ce n'était pas Lyon. Dans le taxi qui traversait la ville, j'empruntais des routes qui ne menaient plus à elle, je gravissais une colline où elle ne logeait plus, je détaillais des façades qu'elle ne longerait plus ; sous peu, je sonnerais à un interphone d'où ne fuserait pas sa voix guillerette, je pénétrerais dans un appartement dont elle n'ouvrirait pas la porte, soulagée, les yeux légèrement humides.

Sans elle, la ville me sembla soudain vide, démantelée, incohérente. On lui avait coupé la tête.

À la douleur qui me crucifiait, je compris que, de tout temps, Maman avait conquis Lyon, qu'à mes yeux elle le personnifiait bien davantage que la Vierge surmontant la basilique de Fourvière. Depuis son observatoire majestueux, à Sainte-Foy-lès-Lyon, Maman régnait sur les divers quartiers, les toits saumonés, les clochers pointus, les dômes académiques, les cours d'eau sinueux, les lentes péniches, les fumées serpentines, les sombres sites industriels. Elle imposait son harmonie à la cité : une rivière qui épouse un fleuve en une accolade de bras, deux collines qui se sourient en protégeant le cœur urbain. Mieux, elle avait peint la ville avec ses couleurs préférées, celles de ses vêtements, rose pâle des tuiles, ocre des façades, gris perle des pierres, métal de l'eau, azur du ciel. Elle qui

avait le pied voyageur, archéologue, historien, elle qui
m'avait mené en Grèce, en Italie, elle qui s'avérait infati-
gable sitôt qu'il s'agissait de franchir le temps par
l'espace, elle avait tenu à ce que la cité exhibe en perma-
nence diverses époques côte à côte, à siècle ouvert, de
bâtiment en bâtiment, la Gaule, le Moyen Âge, la Renaissance, le classicisme, le XIXe bourgeois, la modernité de
verre et de béton. Enfin, elle avait insufflé à l'antique
capitale des Gaules sa sagesse, composée de modération,
de modestie, oui, sa résignation de femme âgée qui avait
consenti à son retrait et minorait le tragique du déclin en
se livrant au plaisir de l'instant présent.

Emprunter ces rues et ces quais mille fois parcourus
m'a procuré une illumination : ma mère n'est pas de
Lyon, c'est Lyon qui est de ma mère.

Lyon, ma ville natale ? Lyon, ma ville maternelle…

*

Un soleil jonquille, vigoureux, a écrasé ce mardi. Un
temps superbe colorait un vilain jour.

Au cœur des films et des romans, une nature empa-
thique résonne à l'unisson des hommes : dans le cinéma
français, pas de rupture sans pluie ; dans les livres, aucune
agonie privée de tempête. Or, par le passé, j'ai connu
des séparations sous un ciel chaleureux et, aujourd'hui,

ce radieux printemps discorde avec le décès de Maman. L'indifférence du cosmos à mon cafard, loin de m'assommer, me rassure, m'ôte de mon importance, me prouvant – si besoin était – que mes états d'âme, dans l'océan de l'univers, représentent moins que la sueur d'une goutte.

Coller ma sœur Florence m'a apporté la paix. Pas question de pleurnicher l'un devant l'autre : Maman, comme si elle se dressait entre nous, l'interdisait, nous astreignant à la réserve. Je crois que chacun de nous s'isola plusieurs fois dans une pièce ou sur un balcon pour verser des larmes clandestines…

Les rites ont du bon, y compris les rites administratifs. Rechercher des papiers, remplir des formulaires, programmer une messe, fixer l'enterrement, envoyer des annonces aux journaux, rédiger des faire-part, réunir les adresses, voilà qui absorba l'énergie que nous aurions dilapidée dans un chagrin stérile.

Prévoyante, Maman nous avait débroussaillé la tâche : elle avait souscrit un contrat d'obsèques avec un organisme.

Nous gagnâmes les pompes funèbres choisies par elle. Le bâtiment, un étroit pavillon constitué de contre-plaqué et de vitres au fond d'un parking, ressemblait à un bureau de poste ou à une agence bancaire. Propret, récent, net, sommaire, il arborait des couleurs gaies, pastel sur les murs, vert pomme pour les fauteuils – une crèche, une école maternelle afficheraient un même jeu chromatique pimpant –, ce qui me parut aussi réconfortant qu'outré.

Une jeune employée, manucurée, maquillée, crêpée, nous accueillit. Avant de passer dans son bureau, elle nous désigna un garçon de vingt ans, débordant de cheveux, filiforme, la nuque courbée vers nous tant il nous surplombait, qui nous dévisagea avec timidité.

– Autorisez-vous mon stagiaire à suivre notre entretien ?

Je m'entendis répondre d'une voix ferme :

– Je préfère que non.

Florence me regarda, estomaquée que je ne l'eusse pas consultée ; d'un geste, je lui rappelai que nous, nous n'accomplissions pas un stage pour le deuil de notre mère, c'était le vrai et le seul.

Obligeante, l'employée acquiesça et nous nous enfermâmes avec elle. Autour de moi, sur les étagères, je scrutais les propositions de faire-part, lesquelles me navrèrent car elles ajoutaient à l'authentique chagrin des formules artificielles, niaises ou ampoulées. Puis je haussai les épaules, furieux contre moi : cultiver le goût des phrases et des mots ne me rendrait pas ma mère.

Plusieurs années auparavant, Maman avait rempli un dossier spécifiant ses désirs relatifs aux funérailles. Un manquement déconcerta la jeune femme qui déroulait le contrat :

— Ah, dans sa fiche, votre mère a oublié les soins du thanatopracteur.

— Pardon ?

— Elle n'a pas coché la préparation de son corps, le maquillage pour l'exposer avant la mise en bière. Elle semblait une dame très coquette, cela m'étonne. Je rajoute le forfait beauté, bien sûr ?

Je ravalai ma salive. Ma sœur, en empathie avec moi, me signifia que je pouvais m'exprimer en notre nom.

— Elle n'a rien oublié, mademoiselle. Elle exécrait cet usage. Et, si elle était « coquette », elle était également féministe et ne souhaitait pas qu'on l'« expose ».

Perplexe, l'employée se racla la gorge et murmura :

— Donc ?

— Donc, on n'exhibe pas son corps.

— Néanmoins, vous voudrez…

— Non.

— Ses frères ou sœurs peut-être…

— Pas contre sa volonté. Notre mère a toujours maîtrisé ses apparitions. Permettons-lui de maîtriser aussi sa disparition.

Des images m'envahirent : les colères de Maman lorsqu'on lui présentait une dépouille ; son horreur de cette tradition ; son exaspération même, devant le cadavre de son mari adulé, une rage qui l'avait amenée à nous apostropher, ma sœur et moi : « Pourquoi restez-vous plantés ? Vous ne voyez pas que Papa n'est plus là ? Qu'il est déjà parti ? Il n'y a personne, ici, personne ! »

L'employée obtempéra puis nous demanda de sélectionner un cercueil. D'emblée, je faillis crier : « Le plus beau ! »

Je me retins, car Maman m'aurait jugé ridicule, et Florence allait se moquer ; je me bornai à marmonner :

– Je ne sais pas. Un cercueil, je n'en ai encore jamais choisi.

– Notre père avait exigé l'incinération, précisa Florence.

On nous glissa sous les yeux un catalogue de cercueils. Des simples. Des sobres. Des luxueux. Des prétentieux. Je repérai des prix qui finissaient par 9, voire par 99, comme au supermarché, pour attirer le client. Ces pages se montraient si commerciales que je m'attendais à des promotions.

Nous pataugions dans la boue, ma sœur et moi. Le premier prix ? Non, quand même ! Plus cher, sûrement. Cependant, où s'arrêter ? Où se situait le raisonnable ?

– Un modèle de base, annonça Florence, lasse.

– En hêtre, en sapin, en aggloméré ?

– Elle adorait l'odeur du sapin, affirma ma sœur pour se débarrasser du problème.

– Capitonnage ?

Toute décision nous emportait dans l'inepte : exclure les capitons prouvait notre réalisme, mais aussi notre radinerie, tandis que les accepter, quoique prodigue, revenait à s'imaginer que des coussinets assureraient le confort d'un cadavre. Il n'existait pas de bonne réponse.

La mort nous laisse sans bonnes réponses.

Nous devions toutefois avancer : si Maman ne sentait plus rien, était-elle rien pour autant ?

Nous nous exclamâmes en chœur :

– Capitonnage !

– Satin ou soie ?

– Soie ! avons-nous rétorqué.

– Blanc, champagne, bleu, rose ?

– Champagne !

Dans le silence qui suivit, troublé uniquement par les ongles de l'employée percutant les touches du clavier à mesure qu'elle encodait nos désirs, je priai : « Plus de questions, s'il vous plaît, plus de questions. » Chaque fois que nous sélectionnions quelque chose pour Maman, nous nous rendions compte qu'elle ne le saurait ni ne le percevrait jamais ; chaque fois, nous la perdions davantage.

L'employée empoigna une calculette et se lança dans des additions à une vitesse folle. La banalité de ses gestes me calma. Après tout, nous faisions nos courses, rien d'autre ; nos courses funéraires, certes, mais nos courses.

J'appréciais le professionnalisme de l'employée : sans ignorer notre désarroi, elle réduisait notre affliction à des contraintes qu'il fallait tolérer, à des lois qu'il fallait respecter, à des résolutions qu'il fallait prendre, enfin à une note qu'il fallait payer. Chèque, espèces, carte de crédit ? Pas d'apitoiement excessif ni d'empathie simulée, juste du respect pour notre malheur. Je la trouvais brillante et je le lui dis avant de la saluer. Elle baissa les paupières.

– Merci. Personnellement, j'avoue que j'ai rarement rencontré un frère et une sœur qui s'entendaient si bien : vous vous accordez sur tout.

Pendant que nous rougissions, Florence et moi, je levai un regard vers le plafond et soufflai, en secret, à l'intention de Maman : « Compliment, c'est ta réussite. »

En quittant cette femme, je me reprochai d'avoir refusé que le stagiaire assistât à notre entretien ; sous prétexte de débuter comme orphelin, j'avais interdit à l'étudiant de débuter dans les pompes funèbres.

*

Le confesserai-je ?

De l'horrible englue le décès de Maman.

À ceux que j'informe, je ne dévoile rien, tant l'histoire me heurte. Arriverai-je à consigner la vérité dans ces pages ?

Pas encore…

*

Je possède dix mille souvenirs de Maman, mais je ne déniche pas le premier. Possède-t-on un souvenir initial du soleil ? du ciel ? de la terre ? de l'eau ? Voici la nature : ce qui ne laisse pas le souvenir d'un début. À mes yeux, notre histoire n'a jamais commencé, elle a toujours été.

Maman ne m'est pas apparue : j'en suis apparu. Nous faisions corps. D'une fusion primitive, nous avons progressivement dérivé, ce qui, peu à peu, nous a individués.

Séparés ? Si peu. J'ai d'abord vécu en elle, puis collé à elle une fois sorti de son ventre ; ensuite, parce qu'elle me parlait, parce qu'elle me lavait, parce qu'elle me posait dans mon lit, parce que j'enlaçais ses bras, ses genoux, parce qu'elle m'effleurait d'un baiser ou d'une caresse, j'ai constaté que nous constituions deux personnes. Je l'ai étreinte jusqu'à mon adolescence, moment où, la pudeur s'insinuant, je me suis accommodé d'embrassades, d'accolades, de ma main dans la sienne, ou, récemment, de ses doigts agrippés à mon coude lors d'une promenade.

Pas de première fois, donc. Quelle onctuosité, ces eaux mêlées, ce magma originel, cette argile indistincte !

Avec elle, j'ai vécu une histoire sans début qui prend fin désormais. Sa présence peut-elle devenir une absence ?

*

L'enterrement se déroulera ce matin, 1ᵉʳ avril, dans deux heures.

Toujours cette sordide histoire autour du décès de Maman… Des doutes… Des questions…

Mes oncles se sont alarmés de ne pas lui rendre un dernier hommage avant la fermeture du cercueil. Nous leur avons caché la vérité, prétextant un veto absolu de Maman.

À cause de ces éléments… embarrassants, ni Florence ni moi n'assistons à la mise en bière, quoique, selon la loi, un membre de la famille doive se tenir à côté de l'officier de police lorsqu'on cloue le couvercle. Alain, mon beau-frère, nous remplace ; doux, droit, fidèle, il apporte depuis trente ans le bonheur à ma sœur, il adorait Maman et vole aujourd'hui à notre secours.

Les détails scabreux nous incommodent, ma sœur et moi. Ceux que je ne raconte pas.

Nous en resterons au diagnostic officiel du médecin : elle s'est éteinte d'un coup, sans avoir le temps de s'en apercevoir, parce que son cœur a lâché.

Je suspends ce journal car Florence m'appelle : nous partons accompagner Maman à l'église puis au cimetière.

Quand je reviendrai ici, elle reposera sous terre. Pourvu que mes jambes résistent…

*

L'église de mon enfance. Des fleurs partout. Un orchestre à cordes. Une chanteuse. Des textes vibrants. Des amis. Des proches. La messe fut digne, simple et belle ; je crois qu'elle aurait plu à Maman.

En fait, il ne manquait qu'elle.

*

J'ai l'âme en lambeaux.

Nous voici rentrés en Belgique, à la campagne, et je me pelotonne contre mes proches, ainsi qu'un chat frileux. Leur moelleuse sollicitude me réchauffe, mais ne me console pas – un confort davantage qu'un réconfort.

De la compassion, j'en ai reçu beaucoup hier, lors de la cérémonie de funérailles à Saint-Foy-lès-Lyon. L'église croulait sous les fleurs. Deux immenses bouquets encadraient l'autel, l'un de mon éditeur, le second de mon théâtre, deux piliers de ma vie, dont Maman se délectait, transformés en roses blanches et en lys exubérants. Mes amis de l'orchestre Confluence, qui avaient plusieurs fois croisé Maman durant nos spectacles sur Mozart, jouaient gracieusement, flanqués d'une chanteuse inspirée. Tant de gentillesse me fragilisait.

Certaines présences me touchèrent. D'autres me gênèrent un peu – des lecteurs, lectrices, qui n'avaient pas rencontré Maman.

Sur la tribune de l'église, derrière le lutrin, mes neveux prirent le micro et parlèrent pertinemment de leur grand-mère, Stéphane avec une tendresse joyeuse, Thibaut avec un humour bienvenu. Le diacre, un ami de mon père, brossa un portrait à peu près juste de Maman avec les éléments que nous lui avions soufflés. Christine, ma cousine et sa filleule, déclama les Évangiles avec la voix énergique et courageuse d'une authentique croyante.

J'ai oublié ce que j'ai prononcé à mon tour, tant l'émotion me submergeait, mais je me rappelle avoir fini ainsi : « Elle nous a chargés, ma sœur et moi, d'amour pour le restant de nos jours. Nous tenons debout grâce à elle. De même qu'un jour lointain, tout près d'ici, elle a lâché notre main parce que nous pouvions marcher, elle vient de la lâcher une seconde fois pour que nous continuions le chemin. »

Puis j'ai scruté son cercueil.

« Ils ont bien de la chance, là-haut : ils vont accueillir quelqu'un de merveilleux. Et nous, ici-bas, nous avons eu beaucoup de chance : nous avons connu quelqu'un de merveilleux. »

Quel contraste entre la messe et l'enterrement !

La messe propose un voyage ascensionnel, l'enterrement une descente. Si les prêtres décrivent une montée au ciel, les croque-morts enfouissent en terre. Les premiers évoquent la lumière, les derniers l'éteignent. Même si notre imagination visualise une élévation, nos yeux n'ont vu que la chute.

Quoiqu'une messe de funérailles bouleverse, elle nous fortifie car elle demeure pleine, animée, foisonnant de mots et de musique, saturée d'émotions, d'anecdotes, de regrets, d'espoirs. En revanche, l'inhumation nous met au bord du rien.

La terre fendue, obscène, prise par surprise. Sa chair orange, intime, humide, glissante, brutalement découverte, exposée à l'intérieur de la fosse, différente de la peau brune en surface. Les fossoyeurs ont violé la terre. Éparses, sur un tas, pelles et pioches, les armes de leur attentat.

On entend crisser les pneus d'une voiture très lourde. Le corbillard arrive, écrasant les graviers. Silence. On fixe le véhicule avec effroi, comme s'il contenait non un cadavre mais le pouvoir d'anéantir.

Quatre hommes jeunes, élancés, vêtus de noir, soulèvent le cercueil. Est-ce Maman ? N'est-ce plus elle ? Il semble peser si peu…

Ils ceinturent la boîte de cordes épaisses puis la descendent au fond du trou. Bruits de choc contre la paroi. Je détourne la tête. Ne pas regarder sinon je crie. Ne pas m'approcher sinon je saute. De toute façon, je ne perçois plus rien derrière mon rideau de larmes. Au fond de moi, éperdue et précipitée, défile une prière.

Les miens se tiennent à mes côtés, Bruno, Yann, Éric, Franck, Gisèle, Colombe, Tancrède, Florence, Catherine, Daniel. Ils font bloc. Ma sœur, mon beau-frère, mes neveux, mes cousins, mes oncles et tantes également. Nous, les vivants, nous nous penchons vers celle qui n'avait plus la force de vivre, nous lui accordons le dernier temps que nous pouvons lui consacrer.

Je ne t'aurais jamais dit « Adieu » si la mort ne m'y avait forcé.

Auprès de son cercueil, on place l'urne renfermant les cendres de mon père. Les quatre hommes repartent, raides, empesés ; l'un d'eux porte un tatouage dont un bout dépasse au-dessus du col sur son cou tendre et pâle. Ce détail me le rend concret. J'ai envie de le remercier de prêter sa jeunesse aux sinistres funérailles.

Les fossoyeurs commencent à reboucher la tombe à larges pelletées silencieuses. Cela me rassure presque… Tout rentre dans l'ordre, un ordre cuisant, certes, mais un ordre ancestral, l'ordre qui a décidé que, une fois les individus trépassés, leur dépouille reposait au creux de la terre.

Maman a achevé sa tâche d'humaine ; nous, nous avons accompli celle de ce jour.

*

Une tombe.

Qu'est-ce qu'une tombe ?

Une trappe qui ne conduit nulle part. Une porte qui ne s'ouvre sur rien. Une surface qui veut nous persuader de sa profondeur. Un leurre.

*

Les tombes constituent les étiquettes que laissent sur terre les disparus.

Pour éviter que ces étiquettes ne s'envolent, on les fabrique en pierre.

Et les cimetières sont des champs d'étiquettes.

*

Une étiquette cesse d'assurer sa fonction si personne ne la lit.

Je me recueillerai sur ta tombe pour témoigner de ta présence.

*

Qu'y a-t-il dans une tombe ?

Un être ? des bouts d'un tout disloqué ? de la poussière ? un souvenir ? Maman a été avalée par son cadavre.

L'unique sens qu'a la tombe de Maman, c'est celui qu'elle lui a donné : elle l'a achetée après la mort de mon père, elle y a installé son urne – malgré nos récriminations, il avait opté pour l'incinération –, puis elle s'est armée de patience. « Il m'attend là, je le rejoindrai un jour », répétait-elle paisiblement, satisfaite d'avoir respecté la volonté de son homme, mais aussi d'imposer la sienne.

Cette tombe les réunit. Elle ne représente ni mon père ni ma mère, elle illustre l'amour de mes parents.

« Viens avec moi au cimetière voir ton père ! » Je n'étais pas allé méditer au-dessus de la dalle de granit gris, malgré les multiples sollicitations de Maman.

« Viens avec moi au cimetière voir ton père ! » Je ne désirais jamais voir mon père, au cimetière ou ailleurs.

*

– Où es-tu ?

Voilà sa première question lorsque je l'appelais au téléphone, moi le nomade qui pérégrinait de ville en ville, de pays en pays.

Aujourd'hui j'inspecte le ciel désert et demande :

– Où es-tu ?

*

Où est-elle ? sous terre ? au ciel ?
Son vrai refuge sera ma mémoire.

*

En réalité, c'est elle que je souhaite d'abord consoler, pas moi.

*

Les ombres qui couvrent la fin de Maman...
Me résoudrai-je à les exposer ?
La honte retient ma plume.

*

Ce mardi 4 avril, je déserte l'académie Goncourt. Bien que je prise notre déjeuner mensuel au restaurant Drouant, nos discussions passionnées à la recherche des talents littéraires, cette tâche qui attise notre altruisme – nous ne parlons que des livres des autres, jamais des nôtres –, je ne me sens plus apte à prendre un train pour Paris, à deviser intelligemment, bref à me comporter comme si je ne rampais pas.

J'adresse un billet à mes neuf collègues, écrivains, camarades, parfois amis, autour de la table ovale.

Vite, je reçois des mots fraternels de leur part. Virginie Despentes, Philippe Claudel et Paule Constant me manifestent leur sympathie et leur affection par de généreuses lettres que je relis afin d'en conserver l'humaine chaleur. Tahar Ben Jelloun m'envoie un court message dont chaque terme se grave dans mon cœur, où il évoque « la douleur et l'absence, le grand silence et les traces », engageant le sage à devenir « patience ».

Patience...

Je connaissais la patience de l'amour, j'ai à découvrir la patience du chagrin.

*

Consigner les faits. Narrer sa mort. Traquer la vérité. Accomplir un exercice de lucidité. Y parviendrai-je ?

Je ne dresse pas de procès-verbal. Romancier, dramaturge, doté d'une imagination ardente, j'ai choisi d'inventer des histoires autant par amour que par dégoût de la réalité. Amour, car les humains m'inspirent. Dégoût, car je ne dépeins pas seulement le monde tel qu'il est, mais aussi le monde tel qu'il pourrait être, voire comme il devrait être. Dans la pâte du réel, j'introduis la levure de l'idéal.

La fin de Maman n'a rien d'idéal.

Ni pour ma sœur ni pour moi.

*

« Le silence entretient le traumatisme. L'individu ne dépasse le traumatisme que lorsqu'il verbalise. »

J'avais noté ces phrases en Suisse, au cours d'un colloque sur la psychiatrie post-traumatique. Les médecins signalaient qu'une possible guérison se déclarait dès que le patient mettait en mots ce qu'il avait vécu et se reconnaissait acteur – héros ou victime – de ce récit.

Transcrire ici la fin de Maman, même si j'exècre mon rôle.

*

L'ai-je précisé ? Plusieurs fois par jour, je prie pour elle.

Je prie pour qu'elle ne panique pas en ce royaume où elle débarque.

Je prie pour qu'elle y déambule heureuse, pour qu'on l'y reçoive bien.

Je prie pour qu'elle ne se tourmente pas à notre sujet,

ses enfants, ses petits-enfants, sa famille, ses amies, les êtres qu'elle aimait.

Je prie en outre – et cela me lacère le cœur – pour qu'elle éprouve le plus intense des contentements, celui de retrouver mon père.

Peut-être mes prières ne produiront-elles aucun effet, soit parce qu'elles n'influencent pas ce monde, soit parce qu'il n'y a aucun autre monde.

Mais j'aurai prié quand même.

Que faire lorsqu'on ne peut plus rien faire ?

*

Je crois au pouvoir de la croyance.

L'amour existerait-il si l'on n'y croyait pas ?

*

Prier, selon certains, revient à se donner beaucoup d'importance : on s'imagine capable de modifier l'ordre de l'univers.

La prière respire l'optimisme, le volontarisme, la résistance, l'engagement. Mes valeurs. Vais-je les abdiquer devant la mort ? Sûrement pas.

À la mort de les supprimer ; pas à moi.

*

L'histoire sordide autour de la mort de Maman ? La voici.

Maman effectuait une cure annuelle à Aix-les-Bains, autant une coutume de loisir que de santé chez elle. Dimanche, nous nous étions parlé au téléphone, elle nous avait avoué, à ma sœur et à moi, que sa fatigue momentanée rendait ce séjour opportun. Le lundi soir, Stéphane, son petit-fils, l'avait aidée à charger sa voiture puisqu'elle prenait la route le lendemain matin.

Depuis le mercredi, nous avions tenté de la joindre, ma sœur et moi, mais elle ne décrochait pas. Je m'étais permis d'insister le samedi et le dimanche en doublant mes messages vocaux de messages écrits. En vain ! Je m'en étais plus agacé qu'inquiété, car Maman ne se servait guère de son téléphone portable, un accessoire qui restait au fond de son sac à main.

Le lundi matin, une équipe de France Inter, la radio nationale, qui préparait une émission sur moi, se mit en relation avec ma sœur, déjà interviewée pour l'occasion, en lui confiant qu'elle ne réussissait pas à contacter madame Schmitt, laquelle lui avait pourtant fixé un rendez-vous téléphonique. Connaissant la ponctualité de Maman et son sérieux, ma sœur a immédiatement établi un rapport entre cet accroc et l'absence de réponse à nos mots : elle a appelé tous les hôtels d'Aix-les-Bains jusqu'à ce qu'elle débusque la réceptionniste qui détenait une réservation à son nom.

– Madame Schmitt ne s'est pas présentée mardi. Et nous n'avons pas reçu de ses nouvelles.

Florence a aussitôt compris. Le cœur battant, elle a saisi le double des clés qu'elle possédait et a couru chez Maman, deux cents mètres plus loin. Elle eut d'abord la consternation de voir la voiture garée sur le parking de l'immeuble puis, après avoir avalé les marches quatre à quatre, ouvrit la porte et découvrit Maman étendue sur le sol de sa cuisine.

Elle était morte depuis plusieurs jours.

*

Qui n'a pas entendu ces histoires d'individus solitaires dont on trouve le cadavre longtemps après le décès ? Qui ne s'est pas indigné d'apprendre que des enfants avaient manqué le trépas de leurs parents ?

Je l'ai fait. À maintes reprises, j'ai réprouvé, fustigé, vilipendé ces ingrats ou ces indifférents qui négligeaient leurs parents. Ainsi, lors des épisodes caniculaires, tandis que les vieillards chutaient comme des mouches, j'appelais ma mère journellement et, en écoutant les informations, que certains abandonnassent leurs proches me scandalisait, au point que l'univers me semblait peuplé de monstres.

Parfois, il n'y a pas de monstres, seulement des circonstances.

Avec la meilleure volonté et le plus sincère amour, un enfant peut ignorer ce qui arrive à sa mère. Ici, la conjoncture justifiait que ma sœur ne s'alarmât pas. Nous croyions Maman à Aix-les-Bains, occupée par ses soins, contrainte de respecter les horaires des repas, laissant dormir son portable.

*

Pendant plusieurs heures, alors que Florence, auprès de la dépouille de notre mère, consolée par Alain, attendait le médecin et les pompes funèbres, notre esprit nous a servi et resservi une scène atroce : Maman agonisant durant des jours, espérant un secours qui ne venait pas.

Horreur de l'imaginer subissant ce supplice.

Culpabilité.

Enfin, à 19 heures, le médecin assura que la mort l'avait foudroyée. Le cœur s'était arrêté, elle était tombée. Cela n'avait duré que quelques secondes.

« Elle ne s'en est pas rendu compte. Elle a dû songer à un malaise vagal, elle qui les multipliait. »

Je tentai idiotement de plaisanter :

– Alors elle serait morte en s'exclamant : « Zut, encore ! »

*

Le médecin le certifie :
– Votre mère n'a pas souffert.
Florence et moi, nous hochons la tête, apaisés.
Donc, la souffrance, elle nous est réservée ?
Nous nous regardons, ma sœur et moi, et dans nos yeux jaillit cette identique décision : nous nous arrangerons…

*

Le diagnostic nous a tellement réconfortés que j'ai fini par le suspecter.
Le médecin ne nous a-t-il pas dit ce que nous voulions ? N'a-t-il pas prononcé les paroles qui nous incriminaient le moins ? Ne nous a-t-il pas soignés, nous, à défaut de la soigner, elle ?
Je m'en ouvre à ma sœur, laquelle, avec rudesse, m'énumère les indices physiques qui conduisent à cette conclusion. Elle parle avec l'autorité de la biologiste qu'elle est. Aucun doute.

– Tant mieux… tant mieux, murmuré-je avec soula-gement.

Parfois, les bonnes nouvelles brillent tant qu'elles aveuglent.

*

La question qui me taraude : comment ai-je pu ne rien sentir ?

Comment ai-je traversé une semaine sans déceler que ma mère adorée avait quitté ce monde ?

*

Maman est morte comme elle avait vécu, en sprin-teuse.

Championne de France en course de vitesse, ayant détenu plusieurs années le record national, elle arborait des jambes qui défiaient les chronomètres et faisaient se retourner les hommes.

Enfant, je possédais une conscience aiguë du pouvoir érotique qu'exerçaient les jambes de ma mère : non seulement je me mouvais à leur hauteur en les admirant, mais je remarquais les œillades des passants en enten-dant leurs réflexions. Fuselées, nerveuses, lisses, déliées, promptes, cuivrées, ses jambes dégageaient une audace, une sauvagerie, une sensualité qui contrastaient avec son comportement réservé et son visage doux.

Les années 60 aimaient les jambes des femmes. Chaque automne, une question secouait la France : à quel niveau la jupe se porterait-elle cette saison ? Au genou ? Au-dessus du genou ? En dessous ? Sitôt que l'information retentissait, Maman, que cela lui plût ou non, en même temps que des milliers de femmes, se précipitait chez sa « petite couturière » pour reprendre l'ourlet, l'allonger, le remonter, afin d'arpenter crânement les trottoirs. Seules les vieilles dames ne changeaient rien à leurs tenues.

Maman adopta très tard le pantalon. Si l'été au bord de mer l'autorisait à enfiler des shorts, elle se refusait au pantalon, qui lui paraissait « peu féminin ». Lorsqu'elle s'y risqua, au milieu des années 70, mon père piqua d'énormes colères, comme si elle le trompait ou portait la moustache ! Elle persévéra donc, voyant dans le pantalon une émancipation, une lutte contre la domination masculine.

D'accord avec mon père, je n'en pipai mot – d'autant que personne ne demandait mon avis.

Une mère belle rend un garçon fier ; une mère championne apporte un orgueil qui se prolonge au-delà de l'enfance. À tout âge, je me suis vanté de ses performances : ma mère s'était montrée objectivement la meilleure, les résultats l'attestaient, pas moi.

À quatre-vingt-sept ans, Maman ne courait plus, certes, mais elle battait le pavé d'Avignon avec moi, durant le festival, pour enchaîner les spectacles ; elle ne renonçait pas.

Maman a toujours été en bonne santé. Elle ne s'est pas soumise à la mort de son vivant. Elle est tombée d'un coup. En lutteuse. Une vraie carrière de champione : mille combats gagnés, un perdu.

Le dernier.

Elle permet de comprendre l'expression « mort ou vif ». Ma mère fut vive jusqu'à sa mort.

Sur elle, la mort n'avait pas trouvé de prise avant ce mardi matin-là, où, en une fraction de seconde, elle harponna son cœur. La mort a été obligée d'exécuter son travail nettement, proprement. Pas en oisive qui biaise, en cruelle qui blesse et reblesse sa victime, en perverse qui inflige des tortures sans fin, en vicieuse qui se plaît à savourer sa victoire dans la souffrance et la peur de son adversaire. Avec Maman, elle a été contrainte de jouer à la loyale : un coup, un seul, le coup fatal !

La championne de France de l'année 1945, Jeannine Trolliet, devenue Jeannine Schmitt, femme la plus rapide sur 120 mètres, celle dont la performance mit vingt ans à être battue, cette athlète aux jambes glorieuses, a sauté dans la mort en décrochant de nouveau un record de vitesse.

*

Souvent, la mort s'y prend à plusieurs fois.

Cette prétentieuse vient se pavaner dans le monde sous la forme de maladie, d'affaiblissement, de décrépitude. Elle arrive à se faire souhaiter, elle, l'indésirable, lorsqu'elle a rendu la vie âpre, odieuse, insupportable, lorsque, pour sa victime, les jours se confondent avec les nuits, les heures se coulent les unes dans les autres, navrantes, oiseuses, vides ; oui, lorsqu'elle a suffisamment torturé sa proie, elle apparaît une solution.

La mort qui soulage ! Quelle ironie !

*

Un cadeau, cette mort subite, j'en suis persuadé…

Même si la disparition de Maman me désole, je me réjouis : la promptitude de son départ exauce ses vœux. Maman redoutait la dépendance, le spectacle de sa dégradation, le long séjour à l'hôpital, l'agonie, l'interminable agonie – celle qu'avait endurée mon père. Ce trépas fulgurant lui a épargné toutes les antichambres du cimetière.

À nous aussi, d'ailleurs. Je n'aurai pas croisé ma mère dans une tenue de condamnée, cette chemise d'hôpital qui couvre imparfaitement la pudeur ; je n'aurai pas touché ma mère avec un bracelet qui préfigure celui de la morgue ; je n'aurai pas vu ma mère appartenir à d'autres, aux médecins, aux infirmières, aux aides-soignants, ni son corps abandonné à la douleur ou réduit à un objet médical. Je n'aurai pas eu à la partager, à la plaindre, je ne l'aurai pas fréquentée en dessous d'elle-même, je ne l'aurai connue que robuste et vivante.

*

Une mort brusque offre du miel à celui qui se retire, un poison à ceux qui restent. Si elle économise le calvaire à la personne frappée, elle laisse ses proches choqués, hésitants, éberlués, engourdis. Peinant à y croire, ils apprivoisent mal l'idée de cette annihilation, ils échouent à enregistrer la réalité du rien.

À l'inverse, l'agonie a été conçue pour les vivants, pas pour le mourant. Si elle tourmente le patient, elle somme la famille d'accepter la mort, parfois même de l'appeler de ses vœux.

J'ai pu dire « Mon père se meurt », compatir à son martyre, admirer son courage, puis accueillir sa mort ainsi qu'une délivrance, pour lui et pour nous. En revanche, je n'ai pas dit « Ma mère se meurt » ; un matin, j'ai dit, « Ma mère est morte ».

Ma mère était mortelle, mais elle ne fut jamais mourante.

*

Je traverse des jours gris.
Je ne suis plus vraiment là où je suis.
Où que je me rende, je suis parti avant d'arriver.

*

Le jour où j'ai appris la mort de Maman, j'ai affirmé à
Maïa, ma belle-fille, qui me tenait affectueusement la main :
— Je vais tâcher de ne pas pleurer. Elle n'aimerait pas
que je pleure.
Je crains, hélas, d'avoir fanfaronné.

*

Je n'atteins pas le niveau que ma mère aurait espéré,
car je fonds en larmes dès que je m'isole.
Chaque fois, je me réprimande : « Suis son exemple.
N'a-t-elle pas su survivre à son père ? Elle lui vouait
pourtant une passion aussi considérable que la tienne. »
Les souvenirs resurgissent... Mon grand-père François
m'apparaît, les yeux noirs comme elle, le regard caressant
comme elle.

Je l'adorais. J'appréciais son flegme, sa bonhomie, sa rondeur – Mamie, son amoureuse inconditionnelle, précisait : « Il n'est pas gros, il est bel homme ! » –, ses pantalons duveteux de flanelle, ses chemises d'un blanc lacté, son parfum qui mixait l'ambre et la lavande, sa moustache qui me chatouillait lorsqu'il m'embrassait, ses mains délicates et minutieuses que j'observais durant des heures pendant qu'elles réparaient ou fabriquaient des bijoux. Des fortunes lui passaient entre les doigts, mais lui, simple artisan joaillier-sertisseur, n'était pas devenu riche.

Il avait la parole et le mutisme justes. Tout se tenait. Jamais un mot de trop, jamais un silence de trop. Il n'interrompait son labeur que pour s'amuser avec ses petits-enfants, bricolant de fausses araignées qu'il suspendait à un fil transparent, faisant apparaître dans les trappes ou derrière les portes des monstres confectionnés avec des balais ou des chiffons. Nous hurlions de peur, puis nous riions, enchantés que notre vénérable grand-père ait consacré tant de temps à nous mitonner ces surprises. Il raffolait des chats et, quoique Mamie et lui n'en possédassent pas dans leur vaste appartement de la Croix-Rousse, il trouvait le moyen d'en emprunter aux voisins, voire de récupérer une portée de chatons, et m'apprenait à jouer avec les félins. Il les contemplait avec la même affection que moi, et j'acceptais volontiers de partager cette tendresse avec eux.

À la soixantaine, une défaillance du cœur avait emporté cet homme que je chérissais davantage que mon père, d'un amour limpide, sans nuages. Je ne me rappelle pas avoir vu ma mère fondre en larmes, juste avoir entendu, après un début de sanglot, claquer une porte, derrière laquelle elle s'enferma. Si Maman versait des litres devant les films ou les pièces de théâtre, elle ne perdait jamais contenance devant la réalité.

Durant les journées qui séparèrent la mort et l'enterrement de mon grand-père, j'ai pleuré bruyamment du matin au soir, au point de suffoquer. Mes parents me secouraient puis me regardaient hoqueter, en silence, avec empathie, avec consternation, voire avec sidération, car – ma cousine me le rapporta – ils s'effaraient devant un tel accablement chez un garçon de dix ans.

Le jour de l'inhumation, on ordonna aux trois petits-enfants – Florence, Christine et moi – de demeurer dans le hall de l'appartement où le cadavre gisait avant sa mise en bière. Cela déclencha le pic de ma détresse. Alors que mon grand-père reposait allongé à quelques mètres de moi, on m'empêchait de le rejoindre. J'ai hurlé. J'ai frappé des pieds. J'ai cogné les murs. Des adultes accoururent pour justifier qu'on me refusât l'accès au corps :

– Ce n'est plus lui.

– Il vaut mieux que tu restes là.

Maman revint bouleversée, non par moi, mais par ce qu'elle avait aperçu dans la pièce interdite. Je cessai de geindre séance tenante et je lui saisis la main, ferme, paisible, consolateur, comme un mari. Elle me jeta un œil ébahi. Mon attitude reflétait quelque chose de neuf : « Je prends soin de toi, Maman. » Elle saisit mon message et sa main se détendit entre mes doigts. Quelques secondes plus tard, elle annonça à mon père :

– Paul, conduis ta mère et Florence au cimetière. Moi, j'emmène Éric dans ma voiture.

– Sûr ?

– Éric m'accompagnera.

Flatté par le « Éric m'accompagnera », j'approuvai de la tête en direction de mon père, genre « fie-toi à moi ».

Il marqua son étonnement, flotta, demanda plusieurs fois la confirmation de ce qu'avançait ma mère, puis s'inclina.

Notre voyage, à Maman et moi, s'effectua d'abord en silence dans la Renault 4 aux tôles trémulantes qui suivait le corbillard à travers les rues escarpées. À bout de nerfs, Maman pilotait avec brusquerie, fulminant, contre les priorités, les feux rouges, les dos-d'âne, les stops, la rapidité ou la lenteur des automobilistes ; elle haïssait le monde entier.

– Excuse-moi d'avoir autant pleuré, Maman. Je ne comprenais pas que ça t'empêchait, toi, de pleurer.

C'est ton père avant d'être mon grand-père. J'ai été égoïste, je suis désolé.

Malgré la fureur, ses yeux s'embuèrent en se tournant vers moi.

– Tu as le droit de pleurer, Éric.

– Oui, mais toi, tu ne pleures pas.

– Si je pleurais, je pleurerais trop.

– Je vois.

– Et puis les larmes, ça ne fait pas partir le chagrin.

Quarante ans après, je tente d'assimiler son conseil et cherche à me hisser à sa hauteur : je m'essuie le visage, me débouche le nez et jette à la poubelle les mouchoirs en papier.

Les larmes ne font pas partir le chagrin.

*

Les jours s'accumulent. Sans elle, ils se ressemblent.

*

Ma maison d'édition, Albin Michel, vient de me sauver la vie : elle a assigné une date à laquelle je dois impérativement livrer le recueil que j'écrivais. Pierre Scipion, mon directeur littéraire, n'a pas tergiversé :

– Il te reste cinq semaines.

Je raccroche, mon cœur s'accélère, ma gorge s'assèche, mes mains tremblent : je n'y arriverai jamais !

Aujourd'hui, j'ai repris la rédaction du texte *La Vengeance du pardon*. À ma grande surprise, j'y suis parvenu. Plus stupéfiant, je me sens bien ce soir.

*

Le travail sauve.

Il m'a toujours arraché à mes marasmes.

Nul ne le sait mieux que Bruno, qui m'observe depuis trente ans.

Je me demande s'il ne se cache pas derrière l'appel de Pierre Scipion.

*

Je ne suis plus seul lorsque j'écris : je vis avec les personnages de mon histoire.

Je ne m'égare plus lorsque j'écris : j'emprunte le chemin que dessine le récit.

Je ne louvoie plus lorsque j'écris : j'obéis aux ordres du livre qui s'impose.

Je ne me soumets plus à mon égo lorsque j'écris : je deviens attention à ce qui n'est pas moi.

*

– N'avez-vous pas reçu de signes de votre mère, après sa mort ?

Je baisse les yeux et me fige, pour dissimuler mon dépit.

– Non.

– Moi, la mienne m'en a envoyé. Tenez…

Et voilà que mon interlocuteur déverse ses anecdotes – le tableau qui se décroche, le livre qui s'ouvre à une page révélatrice, la chanson préférée qui s'échappe de la radio – avec ferveur, zèle, sans soupçonner qu'il me froisse. Je ne l'écoute plus. Je n'ai pas d'oreille pour ce genre de confidences.

En réalité, je bous de colère.

Non seulement Maman ne m'a donné aucun signe de vie depuis qu'elle est morte, mais elle ne m'a donné aucun signe de mort non plus – la semaine où elle a disparu, je n'ai rien détecté ni deviné.

Cela me meurtrit presque autant que son départ : je nous pensais intimement liés.

*

Le sage répète que nous ne possédons qu'une certitude, celle que nous mourrons.

Or j'ignore de quoi se compose la mort. Et je défie quiconque de nous l'apprendre, suspectant autant celui qui m'annonce le néant que celui qui me promet le Paradis.

Ma seule certitude porte donc sur une chose incertaine.

*

La vraie sagesse ne revient pas à détenir des certitudes mais à apprivoiser l'incertitude.

*

J'ai la foi.

Dans mes convictions, rien ne me renseigne sur l'au-delà. Simplement, je cultive la confiance. Confiance dans le mystère qui nous fait exister. Confiance dans la vie. Confiance dans la mort.

La vie fut une belle surprise, la mort sera une belle surprise. De quel ordre ? Aucune idée !

Didier Decoin, croyant comme moi, m'interroge :

– La foi t'aide-t-elle à surmonter le chagrin d'avoir perdu ta mère ?

– Pas du tout.

– Moi non plus.

Nous nous regardons un long moment, muets, fraternels, quasi nus l'un devant l'autre. Le manque de l'être aimé nous tenaille ici, sur cette terre.

*

La foi n'est pas un savoir mais une façon d'habiter l'ignorance.

*

Son absence a tant de présence !

*

Au bureau, Daniel me tend un article découpé dans la presse, qui porte ce titre : « La mère du dramaturge Éric-Emmanuel Schmitt est morte. »

Je m'effondre. On vient de me la tuer une seconde fois.

Effrayé par ma réaction, Daniel proteste :

– Lis l'article. Très gentil, très bienveillant, très positif !

Je sanglote sans oser formuler la pensée enfantine qui m'abat : je rendrais toute ma célébrité pour garder ma mère.

*

D'ordinaire, elle sentait à distance que j'allais mal. Et moi aussi. Alors, l'un appelait l'autre.

Sa mort, j'aurais dû la percevoir !

Je ne comprends pas… Mon aveuglement et ma surdité remettent ma conception de notre amour en question.

Était-ce une illusion ?

*

Après le départ de Maman, j'ai subi une gêne à la jambe droite. C'est devenu un handicap en quelques semaines. Désormais, marcher me coûte ; passer d'assis à debout requiert des précautions ; la nuit, je cherche désespérément une position indolore.

Alain G., mon médecin, me prescrit une batterie d'examens, m'envoie consulter un spécialiste, mais ajoute, avec affection :

– Depuis la mort de ta mère, tu ne veux plus avancer !

À certains moments, la lassitude m'opprime. Je souhaite alors que tout s'arrête. Cesser d'avoir mal à l'âme, cesser d'avoir mal au corps.

*

Les radios et l'imagerie par résonance magnétique n'expliquent pas l'origine de mes élancements au genou.

Le médecin qui commente les clichés me conseille de rectifier ma posture avec un kinésithérapeute.

Mon périple médical s'arrêtera là : mon père exerçait la profession de kinésithérapeute, ce qui m'a toujours rendu impossible le recours à un kinésithérapeute.

Je boite et je m'en fous.

*

Le livre m'accapare. J'en suis moi-même abasourdi : rien ne m'empêche de créer, aucun accablement, aucune inflammation. Écrire m'apporte le salut.

Comment font ceux qui ne détiennent pas cela ?

*

Je me sens mal, ce matin, contraint à quitter mes trois cocons – la maison, le travail, mon chagrin – pour me risquer en Lorraine à interpréter *Monsieur Ibrahim et les fleurs du Coran*, seul en scène. Où trouverai-je l'énergie d'incarner quelqu'un, moi qui n'habite plus mon corps ? Insufflerai-je la vie à des personnages, alors que je ne songe qu'à la mort ?

Je monte dans le train, les épaules basses, les pieds plombés, comme si l'on m'expédiait à l'abattoir.

*

La scène est le théâtre des miracles : le passé devient présent, le boiteux ne boite plus, le mort se relève pour saluer, et moi, j'ai raconté l'histoire de *Monsieur Ibrahim* et joué les personnages en courant d'un bout à l'autre du plateau. Aux premiers mots – « À treize ans, j'ai cassé mon cochon et je suis allé voir les putes » –, les forces me sont revenues, mon genou a été anesthésié ; par la grâce des planches, j'avais quarante ans, puis treize, puis quatre-vingts, l'âge de mes héros.

Le public m'a remercié debout, et j'ai gagné les coulisses, ravi. Là m'attendait un cadeau.

Chantal, une lectrice de Nancy, avec laquelle, depuis vingt ans, j'entretiens une relation fraternelle tissée de rencontres et de lettres, me rejoignit en compagnie de ses amies qui l'aident à déplacer son fauteuil roulant. Sitôt que j'aperçois son noble visage ouvert, rieur, ses yeux lumineux, une onde de plaisir m'atteint. Ne se dégagent d'elle que des vibrations positives et tendres. Au fond de moi, je l'appelle « mon ange à béquilles ».

Nous bavardons un peu, tout à la joie de nous retrouver. À l'évidence, nous nous procurons le même effet bénéfique : nous nous insufflons de l'énergie.

Au moment où je la salue pour rentrer à Bruxelles, elle m'attrape la main.

– J'ai un message de votre maman pour vous.

Je blêmis.

– Pardon ?

– Elle m'avait demandé de vous le transmettre lorsqu'elle ne serait plus là.

Je me rappelle que Maman avait croisé Chantal plusieurs fois, lors de générales de mes pièces. Mes lèvres tremblent. Chantal resserre l'étreinte de ses doigts.

– Prenez soin de vous. Ménagez-vous. Ne vous crevez pas à la tâche. Pensez à vous.

Je frissonne. Les mots exacts de Maman. « Prends soin de toi. » À l'issue de chaque conversation, elle me prodiguait ce conseil, coloré de reproche, inquiète que j'enchaîne divers chantiers sans pause, que je repousse les vacances, que trop de responsabilités reposent sur mes épaules.

Je réagis avec Chantal comme avec ma mère :

– Ai-je l'air fatigué ?

À l'instar de Maman, Chantal, les yeux pleins d'affection, ne répond pas, puis répète :

– Prenez soin de vous.

Je l'embrasse et je retourne dans ma loge pour céder à l'émotion. Maman avait prévu que je déambulerais dans un monde dépourvu d'elle et, par précaution, tel le Petit Poucet qui marque son chemin de cailloux, avait laissé des instructions aux gens que je fréquenterais pour que son regard d'amour sur moi lui survive à jamais.

*

Le livre sera bientôt achevé, j'entame la dernière histoire, « Dessine-moi un avion ».

Sitôt le petit déjeuner avalé, je m'attable à mon bureau et j'y œuvre dix heures d'affilée, voire plus. La nuit, je corrige les pages déjà rédigées.

J'ai la patience de la passion ; rien ne me coûte, tant chaque étape de l'écriture sollicite mon désir.

Au soir, moulu de fatigue, parfois titubant, je redoute d'échouer à continuer le lendemain. Or, au matin, le livre m'appelle et je me découvre de nouvelles forces à lui consacrer.

Une vie de création ne se révèle pas une vie de domination, mais une vie de servitude. On donne tout de soi à l'œuvre qui veut naître.

*

Aujourd'hui, en peaufinant les trois premières histoires de *La Vengeance du pardon*, la lumière a jailli : je sais ce qui s'est passé le jour où Maman a disparu !

J'en suis certain, car j'ai vérifié mon emploi du temps dans mon agenda, ainsi que dans les messages que, aux alentours de minuit, j'envoie à Gisèle et qui contiennent la production du jour.

Ce mardi-là, celui où Maman s'effondra dans sa cuisine, je me trouvais à Paris, seul, et j'y écrivais.

Quoi ? Un texte qui prolongeait l'histoire en cours, « Mademoiselle Butterfly », un texte venu de lui-même, qui s'imposait :

Ma chère maman,

J'aurai peut-être quitté ce monde lorsque tu recevras cette lettre. On m'a diagnostiqué une très grave déficience des reins. Je diminue de jour en jour... Non seulement je peine à m'alimenter, mais je n'en ai plus envie. J'attends. Quoi ? Je ne sais pas. Une greffe, proposent les médecins. La mort, sans doute.

Maman, je souhaitais simplement te dire que je t'aime. Je te dois tout. La vie, d'abord, parce que tu m'as porté en toi, dans tes bras, contre ton sein, tandis que personne ne me désirait. L'amour, ensuite ; tu n'as été que générosité, dévouement, sourire, élan. Même me laisser te quitter, ce qui te brisait le cœur, tu y as consenti par bonté, estimant qu'il fallait que je devienne un « grand monsieur des villes ». Pardonne-moi ce départ. Pardonne-moi d'être revenu si peu. Pardonne-moi ma distance.

Dans mon lit d'hôpital, je me réfugie au creux de nos souvenirs. Ils m'apaisent. Je me figure main dans la main avec toi, dévalant les prairies, entouré du chien Gust et de la chèvre Blanquette, nous quatre grisés par le bonheur de nous dégourdir les jambes, d'aspirer l'air ensoleillé, de saluer le printemps. Comme nous avions raison de nous réjouir d'un rien ! Car ce rien, c'était tout. Inspirer, expirer, s'en rendre compte, s'en émerveiller. Quelle sagesse ! Moi qui ai fréquenté tant de gens éminents, financiers, politiciens, idéologues, savants, je découvre que toi, Gust et Blanquette, vous me déliuriez d'irremplaçables leçons. S'étonner d'exister. Remercier. Cultiver la joie.

Vous avez été mes meilleurs professeurs de vie, voire de philosophie. Plus tard, je me suis un peu égaré dans les labyrinthes de la sophistication, j'ai tenté de ressembler aux esprits chagrins, ceux qui préfèrent l'écœurement à la jubilation, le pessimisme à l'optimisme, la mort à la vie. Quand je livrais une observation morose, cynique, nihiliste ou désespérée, ils m'applaudissaient en m'octroyant un diplôme de clairvoyance. Pourtant, dans mon actuel état de faiblesse, ce qu'ils m'ont appris se réduit à un tas de poussière, et je n'atteins vigueur et lumière qu'en pensant à vous trois.

Gust... Blanquette... Crois-tu que nous retrouvons, làhaut, les animaux que nous avons aimés ? Je l'espère tant... Eux, je suis certain qu'ils auront fait l'impossible pour me revoir, qu'ils auront patienté fidèlement des années, bravant le froid, l'inconnu, la solitude, le découragement, afin de se précipiter vers moi, la truffe chaude, la queue hilare, les yeux plissés. Nous nous étreindrons sans fin. Si c'est ainsi, ce sera beau, l'éternité.

Je t'embrasse, ma petite maman, ma grande maman, ma maman cassable et incassable, ma maman à qui je risque d'infliger, malgré moi, une immense peine.

Ton fils qui t'aime.

Voilà les mots qui sortaient de ma plume ce jour-là... L'amour d'un fils pour sa mère... Comment imaginer que Maman ne les inspirait pas ?

Je sanglotais en terminant le texte. J'ai donc versé des larmes sur la mère et l'amour de la mère le jour où tu as changé de royaume.

La suite de « Mademoiselle Butterfly » se montre encore plus riche d'enseignements : Mandine, la femme à laquelle cette lettre s'adresse, se sacrifie en donnant ses reins à son fils malade.

Elle meurt pour lui.

Elle meurt...

Ce soir, bouleversé, je reprends pied dans mes croyances : Maman et moi étions liés par des intuitions supérieures qui narguaient les distances. Notre fusion ne relevait pas de l'illusion, notre amour défiait l'espace, s'il ne pouvait défier le temps.

J'éprouve un essentiel et brûlant soulagement.

*

Bientôt, j'irai à Lyon, je pénétrerai dans son appartement, je fouillerai ses tiroirs et je trouverai ses carnets. Ses fameux carnets.

Elle m'y a fixé rendez-vous.

Rendez-vous avec la vérité.

Savoir, enfin…

*

La mort a renouvelé les images de ma mère.

Tant qu'elle se trouvait en face de moi, réelle, concrète, elle demeurait la vieille dame de bonne allure aux cheveux cendrés, énergique quoique ses gestes fussent calculés, adepte des vestes larges et des pantalons droits qui voilaient ses formes légèrement affaissées. Même si elle les portait avec dignité, elle avait quatre-vingt-sept ans. Lorsque je pensais à ma mère, je la visualisais ainsi.

La mort l'a libérée de tout âge. Aujourd'hui, je me la rappelle aussi bien à trente ans, à quarante ans qu'à soixante ou quatre-vingts ans. Elle récupère le galbe de ses jambes, ses cheveux noirs, son bronzage de sauvageonne, l'éclat de ses lèvres charnues. Dans ma mémoire, elle n'est plus prisonnière d'un seul de ces états, elle redevient la belle femme vive, haute, brune de mon enfance.

La mort m'a rendu la jeunesse de ma mère.

*

Le livre *La Vengeance du pardon* sera achevé d'ici peu. Je crains de me retrouver face au vide.

*

Dès mon jeune âge, j'ai vécu rongé par la peur de perdre ma mère. Le moindre de ses retards vrillait mes nerfs car, immanquablement, je l'interprétais de manière dramatique. Au lieu de comprendre que cette femme, pressée, dépassée, suractive, ajoutait à son métier de professeur celui de mère de famille, mille fois en ne l'entendant pas rentrer je l'ai imaginée renversée par un camion, enfermée dans des débris de tôle, écrasée contre un mur, déchiquetée par un train sur un passage à niveau – puisqu'elle conduisait à la hussarde en multipliant les accrochages, je tirais toutes mes hallucinations des accidents de la route.

Lorsqu'elle surgissait, alerte, chargée de provisions, déjà projetée sur ses tâches suivantes – la lessive et le repas –, elle ne soupçonnait pas le mal qu'elle m'avait infligé. Si je me permettais une remarque bénigne, genre « Tu as mis du temps », elle s'exclamait avec ingénuité :

– Il faut bien que quelqu'un nourrisse les gens, dans cette maison.

Piteux, je me précipitais alors pour l'aider à porter ses paniers, à les vider.

Elle ignora toujours à quel point je paniquais durant ses absences parce que, parvenant à masquer mes frayeurs, je l'accueillais avec un sourire rasséréné qu'elle traduisait en sourire de bienvenue. Deux fois, seulement, elle me trouva prostré, endolori, les yeux injectés de sang, dans le hall éteint de la villa.

– J'étais inquiet, lui expliquai-je entre deux sanglots, incapable d'arrêter le flot de larmes, à la fois rassuré et honteux.

Touchée, elle me consola avec des mots tendres en me caressant la joue.

Ces peurs me fatiguaient, me brisaient, m'usaient. À force de les voir démenties par les faits, je les estimais exagérées, sans réussir à les repousser.

Elles atteignaient le paroxysme les soirs où mes parents sortaient. Une lancinante émotion me terrassait en les contemplant, si beaux, si complices, mon père souple et félin dans son costume sombre, ma mère radieuse dans une robe qui dégageait ses superbes épaules et ses longues jambes, le visage éclairé par de discrets bijoux. Je les admirais tout en souffrant de les juger différents, presque étrangers. Sous mes yeux se déplaçait un couple d'amoureux, pas mes parents. Je décelais, à ses gestes plus délicats, à ses paupières baissées, à ses agaceries muettes, qu'elle cessait d'être ma mère pour se consacrer à un rôle, l'amante de mon père. Et je constatais que, lui, le regard torride, le coin de la bouche relevé, l'encourageait à minauder, puisait même là un sentiment de puissance... Je frissonnais quand il prononçait «Jeannine», en inhalant les sons, en donnant à ses lèvres la forme d'un baiser. Cela me plaisait autant que cela me dérangeait. Si leur connivence m'enchantait, elle m'effaçait. Je me sentais minuscule, ridicule, incongru. Un enfant. Rien qu'un enfant.

Florence, mon aînée de cinq ans, considérait ces soirées comme une aubaine, les organisait, puis, après divers jeux, sonnait l'heure du coucher. Allongé dans mon lit, la lampe de chevet allumée en veilleuse, je me consacrais enfin à l'essentiel : j'attendais. Le corps contracté, sage, les mains croisées contre ma poitrine, j'attendais. L'attention focalisée sur les bruits de la rue, j'attendais. Espérant chaque seconde entendre la clé tourner dans la porte, j'attendais.

Venant interrompre ma concentration, des pensées catastrophistes m'envahissaient : un dément assassinait mes parents, un incendie ravageait le dancing – je lâchais mon registre automobile pour des violences plus spectaculaires. Puis je m'efforçais de dissiper mes affres en maîtrisant mon souffle et reprenais mon activité principale : j'attendais.

Dès que je percevais le cliquetis qui me confirmait leur retour, qui m'assurait que je ne deviendrais pas orphelin, je virais sur le ventre et m'endormais aussitôt.

Par la suite, cette anxiété ne se volatilisa pas, mais emprunta des formes plus succinctes, supportables… En abandonnant le foyer à vingt ans, je m'acclimatai à une copieuse distance entre ma mère et moi, à une moindre fréquence de nos rencontres. Cependant, après trois ou quatre jours sans contact, une bouffée d'affolement me secouait ; et souvent, lorsque le téléphone sonnait, je tremblais fugacement qu'il m'apprît une désastreuse nouvelle.

L'angoisse que ma mère meure habita ma vie.

Maintenant, c'est fini. Sa mort a tué la peur de sa mort.

Je n'appréhende rien.

Il était plus agréable de vivre avec une terreur d'anticipation qu'avec la réalité du rien.

*

Je l'ai déjà pleuré mille fois, le décès de ma mère, j'ai l'habitude, j'ai pris de l'avance.

Étonnant qu'il me reste tant de larmes.

*

Métamorphoses de l'amour…

Depuis mon enfance, mon attachement à ma mère s'incarnait en une hantise de la perdre.

Mon attachement maintenant, c'est ma tristesse.

*

Je me suis mal exprimé précédemment. Je ne redoutais pas de me retrouver orphelin, je craignais qu'il arrivât un malheur à ma mère. Je ne pensais pas à moi, je pensais à elle.

*

Ce n'est pas une mère qui me manque, c'est elle.

*

De Maman, si je ne détiens pas un premier souvenir, je possède désormais un ultime souvenir.

Quelques jours avant le mardi fatal, j'étais descendu à Lyon pour que nous fêtions ses quatre-vingt-sept ans en famille. Elle avait tenu à tout organiser elle-même et, après avoir testé plusieurs restaurants avec ses amies, nous avait emmenés, Florence, Alain, Thibaut, Stéphane et moi, dans un lieu saugrenu qui venait d'ouvrir.

Elle montra peu d'entrain et peu d'appétit au cours du dîner, répétant que sa cure imminente tombait à point. La nuit, j'ai couché chez elle, dans la chambre d'amis, et, le lendemain matin, je l'ai quittée pour prendre un avion.

Comme toujours depuis cinq ans, je l'ai embrassée sur le seuil en voulant la presser fort contre moi, mais en m'en retenant. Comme toujours, je lui ai envoyé un baiser de la main quand j'empruntais le taxi stationné dans la rue. Comme toujours, elle me l'a rendu de son balcon, derrière ses hortensias rubis. Comme toujours, je me suis retourné pour la regarder, à travers la vitre arrière, devenir plus petite : elle tardait à rentrer et chacun de nous goûtait jusqu'à l'extrême seconde la présence de l'autre. Et comme toujours, j'ai envisagé que cela pouvait constituer la dernière fois.

À compter du décès de mon père, durant cinq années, j'appréhendais ce moment. Certes, je blâmais ce pincement au cœur, je me reprochais cet amour si tracassé, mais j'ajoutais *in petto* pour m'absoudre : « Un jour ce sera vrai. »

Il y eut donc une dernière fois.

*

J'ai achevé mon livre, *La Vengeance du pardon*.
Le premier qu'elle ne lira pas.

*

La joie s'en est allée. Une matinée de printemps a
fait partir la joie. Elle a détalé tel un animal sauvage, et
j'ignore où elle s'est réfugiée…

*

Je me noie. Le travail m'avait maintenu la tête hors
de l'eau et je découvre que je ne sais plus nager.

*

Quand je me réveille, je constate que non, je ne cau-
chemarde pas : depuis des semaines, le monde reste
vide de ma mère.
Ce bref moment d'espoir lorsque les paupières
s'ouvrent au jour nouveau.
Toxique espoir…

*

Souffrance : mon bonheur appartient au passé, mon malheur au présent.

*

Son absence, audible dans le silence.

*

– Comment se passe votre deuil ?
Infichu d'entrer dans le deuil, je me réduis à du chagrin.

*

« Jamais. »
Première fois, non pas que je *comprends*, mais que je *ressens* ce mot.
Je ne la reverrai jamais.

*

– Existe-t-il des remèdes contre les larmes ?
– Non.
– Ce n'est donc pas une maladie. Existe-t-il des remèdes contre le chagrin ? Des anti-chagrineurs ?

– Non.

– Ce n'est donc pas non plus une maladie.

Laissez-moi pleurer et m'enfermer dans mon chagrin.

*

Lorsqu'on me demande « Ça va ? », je réponds préci-
pitamment « Très bien », afin d'éviter de nouvelles questions. Je me mure.

Impression d'avoir rejoint la solitude définitive.

*

Amputé...

Quelque chose n'existe plus, qui continue à me
meurtrir.

*

Soirée avec des amis au restaurant. En bout de table,
l'air affable, je me tais, protégé par mon sourire.

N'entendent-ils pas mon silence qui hurle ?

*

Je m'efforce de ne pas imposer mon amertume aux autres.

– Comment allez-vous ?

– Bonne question, je vous remercie de me l'avoir posée.

– Pardon ?

– Très bien. Je vais très bien.

Cet après-midi, installé au fond d'un café, j'examinais les nombreux clients qui défilaient. Comme moi, ces hommes et ces femmes ont été frappés par le malheur – échecs, maladies, pertes d'êtres chers –, et pourtant, la tête haute, ils vaquent, ils plaisantent, ils font *bonne figure*.

Faire *mauvaise figure*, c'est se donner beaucoup d'importance en jugeant que ses émotions et ses pensées peuvent envahir l'espace public. Faire *mauvaise figure*, c'est mobiliser les attentions, contraindre chacun à se confronter au plus noir. Faire *mauvaise figure*, c'est cultiver la négativité, célébrer le pire, voire le rendre contagieux.

Les chevaliers à la triste mine, certains milieux intellectuels les encensent. Le manque d'éducation passe alors pour de l'audace, l'absence d'empathie indique le génie, la complaisance au nocif paraît la plus haute lucidité !

Je n'ai jamais saisi l'intérêt de déprimer ses proches ou ses contemporains. J'y repère une courte vue. On doit parler du deuil en se gardant d'endeuiller, on doit troubler en évitant de semer un trouble irrémédiable.

J'ai dit «on doit» car il s'agit bien de morale, dans la vie comme en art. Si l'on expose un problème, on y apporte l'amorce d'une solution, d'un chemin.

Philosophie sans sagesse n'est que ruine de l'âme.

*

L'idée qu'elle s'attristerait de me voir triste me rend encore plus triste.

*

Comme j'aimerais que la mélancolie s'use !

*

La mort doit être contagieuse car je ne me sens qu'à moitié vivant.

*

La douleur n'élève pas, elle ratatine. Loin de nous améliorer, elle nous amenuise. Elle ne conduit pas à des pensées sublimes, elle condamne à ne plus penser.

La douleur n'a rien d'un privilège qui ennoblit, tout d'un fléau qui fout à terre.

*

Le silence s'entête, le rien s'obstine.

*

La mort d'un être aimé laisse un grand silence et des traces...
Où sont les traces en ce moment ?

*

Le manque pèsera-t-il toujours plus lourd que le plein ?

*

La mort ne s'attaque pas au passé, elle trucide le présent et l'avenir. Malgré sa puissance, la mort ne fait rien mourir d'hier, les souvenirs demeurent intacts.

Dorénavant, autrefois m'attire davantage que demain, il me réchauffe tandis que le futur m'oppresse. Je savoure dans mon histoire révolue mille moments enchantés, davantage que je ne compte en vivre désormais.

Seule exception : ses carnets. Ses carnets que je pourrais bientôt lire.

*

Le souvenir constitue à la fois le temps où elle est et le temps où elle n'est plus.

Alors je me livre à des orgies de mémoire pour la retrouver.

*

Laissons les souvenirs apaiser la douleur !

Laissons les souvenirs aviver la douleur…

*

Oui, je me replie : mon amour mélancolique devient secret, intime, sans s'extérioriser par des actes ou des paroles. Recroquevillé en moi, il accapare tout l'espace.

*

Je déteste ce chagrin dont je devine qu'il ne cessera jamais.

Je chéris ce chagrin, l'avatar de mon amour pour elle.

*

Ma tristesse m'offre un lieu de culte où je me réfugie.

*

Parfois, je sens que l'unique consolation qui me reste, c'est d'être inconsolable.

*

Je ne veux pas que le manque vienne à manquer !

*

En ce moment, seul mon chagrin me rend heureux. Souvent, je fuis les gens pour le rejoindre, ainsi qu'on rentre à la maison, dans la chaleur du foyer.

*

– La mort d'une mère ne ressemble pas à un accident, c'est prévu, dans l'ordre, on s'y attend. Quoi de plus normal ?
La banalité du malheur ne le supprime pas.

*

On se console lorsqu'on a perdu quelque chose de remplaçable. Mais quand on a perdu l'unique ?

*

On peut voir disparaître la personne dont on est amoureux – mon cas, à trente ans –, puis tomber amoureux d'une autre personne – mon cas aussi.

Quoique chaque individu s'avère singulier, plusieurs parviennent à tenir le même rôle.

Le rôle de la mère, lui, ne se cède pas.

*

Peut-être devrais-je filer à Lyon pour lire le secret qu'elle m'a laissé dans ses carnets ? Rien d'autre ne m'attire en vérité.

Mais j'ai peur de provoquer les questions de ma sœur…

*

Port de Honfleur.

J'embarque sur le *Boréal*, où nous effectuions chaque

année une croisière, Maman et moi. Nous avions instauré ce rite à la mort de mon père, un rite qu'il avait lui-même suggéré et souhaité :

– Emmène Jeannine en croisière, elle en rêve et ça la distraira. Pendant ce temps, moi je partirai pour un autre voyage...

Il m'avait demandé cela, exsangue, depuis le lit où la paralysie et la souffrance l'avaient cloué. Il désirait disparaître et flairait – avec raison – que sa fin approchait. Dérouté par son aveu, j'avais obéi à sa première phrase et n'avais pas commenté la seconde.

Nous avons entrepris, ma mère et moi, un périple un mois après son décès. J'avais choisi la destination avec soin : l'Islande. Épris de ce pays que j'avais visité plusieurs fois pour mes pièces ou mes livres, j'avais appris à le savourer dans tous ses états. À chaque moment de l'année, l'île joue de la musique en véritable artiste : l'hiver, elle prodigue une symphonie de bleus – eau, ciel, glace, neige –, l'été, une symphonie de verts – mousses et lichens sur la toundra, bouleaux rabougris. Bloc minéral vomi par l'Atlantique, située dans un climat ingrat, elle demeure sauvage, peu habitée, à peine cultivée. Trois brins d'herbe suffisent à déclarer qu'une étendue est un champ. Rien ne se développe en hauteur, ni les végétaux ni les animaux – les chevaux plafonnent à la taille des poneys –, et un proverbe local stipule :

« Quand vous êtes perdu dans une forêt, levez-vous. »
J'avais parié que ce lieu robuste insufflerait de l'énergie
à ma mère et notre odyssée m'avait donné raison. Quiconque désire sentir que la Terre vit doit parcourir
l'Islande. Pris entre le feu intérieur et la glace extérieure,
le sol respire, éructe, se fend, fume, crache de l'eau
chaude à Geyser, vomit des laves par la bouche de ses
volcans, noircit le ciel de ses cendres. Avant d'accoster
le quai de Reykjavik, nous avions navigué parmi des
îlots dont certains n'avaient jailli de l'océan que depuis
deux ans. Vagabonder ensuite sur les chemins islandais
nous avait permis de nous charger de force tellurique.

Voici que je gravis la passerelle du paquebot sans elle.
Destination ? L'Irlande et l'Écosse. J'aurais espéré me
dispenser de cette escapade, mais elle avait été commer-
cialisée des mois auparavant, en vendant deux de mes
conférences et un spectacle. Impossible de me désister.
Par chance, des amis me rejoignent, Bruno, Yann, ainsi
que Karine Deshayes et Nicolas Stavy, lesquels offriront
un concert au cours du voyage.

Pour l'instant, emménager dans la cabine qui jouxtait
la sienne, traverser les couloirs que nous empruntions
ensemble, arpenter les ponts où nous bavardions sur des
chaises longues, saluer un personnel qui l'a connue me
glace.

*

Je n'aurais jamais dû me hasarder à bord. Tout me crucifie : elle n'est pas là et je ne remarque que cela... qu'elle n'est pas là.

*

Sommet de la douleur cette nuit. J'ai voulu en finir.

De ma cabine, je voyais les flots s'écarter devant le navire qui avançait, régulier, obstiné, et je mesurais l'absurdité de mon existence. Pourquoi continuer ? Où allais-je ? Non seulement je ne me rendais nulle part, mais accomplir ce chemin qui ne mène nulle part ne m'intéressait plus.

J'ai sangloté jusqu'à m'en étouffer.

À minuit, comme le téléphone fonctionne mal au milieu de l'océan, j'ai adressé des mots aux gens que j'aime. D'abord pour les appeler au secours. Ensuite pour leur annoncer que je renonçais à vivre. Personne ne répondit.

J'ai ouvert la baie vitrée donnant sur le balcon exigu, le vent froid m'a giflé, l'haleine salée de la nuit m'a écœuré, puis j'ai contemplé longuement les vagues, épiant le moment où me viendrait l'audace de m'y jeter.

J'ai attendu des heures. Le courage m'a boudé. Les

mouvements des flots m'ont lentement hypnotisé et, à l'aube, j'ai sombré dans le sommeil.

Ce matin, épuisé, je renoue avec une vie mécanique : je me douche, je me rase, je m'habille. En m'emparant de mon téléphone, je constate que mes messages ne sont pas partis.

Je les efface, confus.

*

J'ai saisi une complexité humaine, cette nuit.

On s'étonne souvent qu'un individu mûr, vaillant, entreprenant, coutumier de la réussite, se suicide. « Ça ne lui ressemble pas… », entend-on dire alors.

Si, justement ! Parce qu'il dirige sa vie, il veut aussi dompter sa souffrance. Si mourir est passif, se tuer est actif.

Hier soir, j'avais conscience que pour rester maître et chasser la douleur, il fallait que je me supprime.

Ni le désespoir ni la désolation ne me poussaient à la mort, mais la logique, la volonté, le goût de la puissance.

Salutairement, je suis demeuré faible…

*

Tout à l'heure, en me réveillant, son regard se posait sur moi. Ma mère me toisait sévèrement et son silence courroucé m'engageait à remplir mon devoir : celui de lui survivre.

« Ce qu'on peut faire de mieux pour ceux qui nous aiment, c'est encore d'être heureux », soutenait le philosophe Alain.

*

Excursion sur une île écossaise, Iona, dans les Hébrides.

Nous foulons le sol d'un cimetière millénaire – des herbes folles autour de tombes anthracite –, puis nous entrons dans une étroite chapelle en pierre fauve datant des premiers temps du christianisme, solide, debout, quoique très rudoyée par les vents et les siècles. Parmi des détails théologiques, la guide insulaire nous précise que le bâtiment possède une excellente acoustique.

Nous nous tournons vers notre amie Karine Deshayes, mezzo-soprano qui se produit à l'Opéra de Paris ou au Metropolitan de New York.

– Karine, s'il te plaît, chante.

Elle hésite une demi-seconde, puis ses jolis yeux noisette fixent le plafond ; au sourire qui s'esquisse, nous devinons que sa voix, elle aussi, a envie d'atteindre les voûtes.

Karine entonne une aria de Rossini, d'un timbre aussi frais que rond, le souffle élastique, aisé. Des volutes de lumière enrubannent les parois. L'Italie ensoleille l'atmosphère nordique.

Moment de grâce.

J'ai l'impression que les pierres ont arrêté de respirer pour se pencher, pantoises, vers cette femme. L'église reprend une forme bombée, redevenant ce nid qui protège des violences du monde et nous concentre sur la beauté, sur l'essentiel.

*

La musique me ramène progressivement à la vie.

Aujourd'hui, sur le bateau, malgré le roulis, Nicolas Stavy a joué du Liszt. *Après une lecture de Dante* m'a captivé, puis la troisième *Consolation* m'a bouleversé. Non seulement je me trouvais différent après – plus sensible, plus vivant, renouvelé –, mais je pris conscience que ces titres, auxquels, en disciple de Mozart et de Chopin, je ne prêtais aucune attention, se révèlent d'une justesse foudroyante. Dante, dans *La Divine Comédie*, nous propose une randonnée chez les morts qui conduit de l'Enfer au Paradis en passant par le Purgatoire, ce dont Liszt sut inventer l'équivalent musical car, durant le morceau, j'ai traversé ces pensées et ces images. Quant à la *Consolation*, elle ne pouvait recevoir meilleure appellation tant elle m'a fait remonter des

ténèbres de ma tristesse jusqu'à l'exaltation du sentiment d'exister.

*

Yann, comme moi, a suivi avec passion, avec émotion, avec reconnaissance, l'interprétation de Nicolas
qui nous élevait. Nous inspirions ou nous cessions d'inspirer ensemble, côte à côte.

Plusieurs personnes, cependant, ont quitté la salle
au milieu de l'exécution. Pourquoi ? L'heure du dîner
sonnait...

Ces comportements me sidèrent. On met des êtres
ordinaires en présence d'êtres extraordinaires – Dante,
Liszt – grâce au truchement d'un grand pianiste inspiré,
et ils se lèvent pour ne pas manquer le premier service !

Ils écoutent avec leur ventre sans doute.

Quoi de plus mystérieux que l'insensibilité à la
musique ?

La sensibilité à la musique, peut-être...

*

Retour à terre. La croisière s'achève.

Nous sommes surpris par le sol stable, invariable,
qui ne trépide pas. Nous avons récupéré nos jambes,

lesquelles nous paraissent bien lentes ; en marchant, nous avons le sentiment étrange de ne pas avancer, tant nous avons pris l'habitude d'une mobilité continue, puisque, même assis, même couchés, nous sillonnions l'océan.

Je découvre que je boite autant qu'avant...

Peu importe, je progresse. L'épisode suicidaire vécu dans ma cabine m'a guéri de toute tentation suicidaire. Une page se tourne.

Hier soir, dernier soir, tandis que les amis vidaient des coupes de champagne – Karine en tête –, j'ai soumis à Nicolas des fragments que j'avais gribouillés autrefois sur Chopin. Il les a appréciés, nous en avons discuté, nous sommes passés au piano et avons décidé de préparer un spectacle mêlant musique et littérature. Voilà que l'envie d'écrire m'est presque revenue, m'orientant mollement du côté de l'avenir.

J'entame une nouvelle étape du deuil. Ou je le commence...

Finalement, cette croisière, quoique grevée de douleurs intenses, m'a régénéré.

*

Trois chiens partagent ma vie – à moins que je ne partage la leur, qui sait ?

Fouki, Sa Majesté fourrée, trouve un trône où qu'elle aille et reconnaît en tout humain un de ses sujets. Farouche et silencieuse, paisible et impérieuse, elle règne naturellement. Sans ciller, elle ordonne, obtient, puis se retire. Cette souveraine de souche japonaise, sublime, lointaine, hautaine, s'aventure parfois à plisser ses paupières pour nous sourire, peu longtemps car elle se demande aussitôt : « Méritent-ils vraiment ma considération ? » Venue des nuages, elle condescend à vivre parmi nous et, lorsque des inconnus la complimentent ou tentent de la dorloter, elle recule, horrifiée. « Je suis là, c'est déjà bien assez ! » Pomponnée, lustrée, lissée, irréprochable dès le matin, cette élégante évolue avec grâce, incapable d'un mouvement gauche ou maladroit. Sur ses fines pattes, elle se déplace avec le port, la distinction, voire les minauderies d'une ballerine. À l'évidence, elle juge effarant de se retrouver si belle dans un univers si ordinaire, mais elle compense sa déception par de longues siestes qui l'absorbent totalement.

Tout lui appartient. À Bruxelles ou à la campagne, chaque chambre est devenue sa chambre, où elle accepte courtoisement de nous accueillir pour la nuit.

Comme les grandes dames, elle a une liaison secrète. Avec moi… Je suis l'élu. Ne tenant pas à ce que sa toquade entame son prestige, elle ne me témoigne son affection qu'à huis clos, quand humains et chiens ont déserté les environs. Après quelques baisers de la truffe, elle exige que je me déchausse, puis me lèche suavement les pieds. Incroyable : l'impératrice cache une geisha soumise ! J'ai alors le droit de la caresser sur l'échine, sous le poitrail, entre les oreilles, voire de cajoler son ventre chaud, doux, blanc. Elle sursaute cependant dès qu'un intrus surgit et reprend une pose aristocratique, affectant une sérénité blasée.

Nous nous sommes longtemps demandé si elle n'était pas sourde tant elle ignore souvent nos appels, puis, après avoir constaté lors des promenades que cette formidable chasseuse entendait parfaitement des bruits infimes, nous avons conclu qu'elle refusait de réagir à ce qui se rapprochait d'un ordre. Tout simplement.

Jeune, elle ne sortait de sa réserve qu'en période de chaleurs : normal, une reine doit poursuivre la dynastie. À Bruxelles, un chien du quartier lui servit d'étalon et Fouki accoucha de six chiots.

Deux sont restés avec elle, Daphné et son frère Lucien, dit Lulu.

Lulu, très shiba inu, a gardé la splendeur de sa mère, mais y a ajouté une joie irrépressible. Daphné, moins shiba inu, a compris qu'elle ne pourrait rivaliser avec la beauté maternelle et a pris le parti de l'intelligence. Ils adorent l'impératrice, qui les a très bien élevés, et en attestent avec la retenue dont ils ont hérité. Je pense que, en langage chien, tous les trois se vouvoient.

Ils sont mes compagnons de jeux et d'écriture ; au quotidien, soit je rédige mes livres dans mon bureau pendant que, à mes pieds, ils dorment sur leur coussin, soit je m'amuse avec eux dans le jardin. D'un commun accord, ils se sont aussi improvisés coachs sportifs en m'obligeant à de longues promenades en forêt, ces épisodes sylvestres dont je me régale autant qu'eux.

Fouki seule n'a pas manifesté d'empathie pour moi au moment de la mort de Maman, et elle n'en marque toujours pas lorsque je cède, aujourd'hui, à une crise de larmes.

Je ne lui en veux pas. Chaque fois, elle me dévisage en ayant l'air de dire : « Pourquoi te mettre dans un état pareil ? Je suis là. N'est-ce pas merveilleux ? Que demander de mieux ? »

*

Et si elle avait raison ? Je dois réapprendre à goûter le présent.

Sa Majesté ma chienne me donne des leçons de sagesse.

*

– Un deuil ? Il faut deux ans !

Cette phrase qu'on me sert à satiété depuis mars me fâche. Quoi ? La douleur serait-elle un fruit qui mûrit et qui finit par tomber ? Pourquoi ma souffrance ressemblerait-elle à celle des autres ? Ma mère ne s'apparentait à personne, nous partagions une relation unique.

Deux ans !

Qu'on ne me parle pas du temps qui atténue les peines. Je considère le temps comme un ennemi intime : il a fait mourir Maman.

*

Je m'implante à Lyon pour quelques jours : nous allons vider l'appartement de ma mère.

Sans réfléchir, j'ai réservé une chambre dans un hôtel, la Villa Florentine, sise à Fourvière, qui domine les toits saumonés du Lyon médiéval et survole la ville entière à l'horizon. J'y retrouve des sensations d'enfance et de jeunesse, quand nous logions à Sainte-Foy-lès-Lyon dans un immeuble qui dispensait un tel panorama, puis durant ma scolarité au lycée Saint-Just, quelques mètres plus haut, un ancien couvent doté de cette perspective.

L'œil de l'oiseau… Je me délecte des points de vue élevés qui présentent le monde comme une scène de théâtre.

*

Souvent, les objets d'un mort prennent un coup de vieux. À l'annonce du décès, quelque chose de terne, d'usé – un voile gris –, recouvre son logement. Plus rien n'a d'éclat. Branlants, obsolètes, inutiles ou inutilisables, bibelots et ustensiles avouent que, eux aussi, ils ont terminé leur temps ; ils n'exhibent plus la vigueur innocente et colorée du neuf.

À l'opposé, l'habitation de ma mère n'a jamais été touchée par la décadence. La sénilité s'en est vu refuser l'entrée ; quant à la médecine, elle n'y a pas campé avec ses cannes, béquilles, déambulateurs, rampes, crédences, urinoirs en plastique mou. L'appartement se montre jeune, propre, clair, vaillant, ordonné. Puisque Maman poubellisait au fur et à mesure ce qui vieillissait, tout fonctionne et arbore un teint sain. Même parmi les pièces de vaisselle que je connais depuis mon enfance, je ne repère ni verre ébréché ni assiette fissurée. Les armoires et les placards confirment ce diagnostic : pas de vêtements élimés, pas de serviettes râpées jusqu'à la trame, pas de torchons à trous, rien de superflu ni d'approximatif. Plutôt que de déblayer l'appartement, mieux vaudrait l'ouvrir comme boutique.

Ma sœur, ma cousine et mes neveux, se substituant aux clients, se servent avec bonheur.

Entre deux cartons, je m'assois sur un tabouret et songe à Maman qui, une fois encore, ne me déçoit pas. Elle traitait son foyer ainsi qu'une partie d'elle-même, avec rigueur, précision. Pendant les dix-huit ans où mon père, paralysé, garda le lit, elle fut contrainte d'accueillir infirmières, kinésithérapeutes, mais également femmes de ménage et autres aides à domicile. Elle qui avait constamment exclu qu'on s'occupât de son intérieur toléra ces intrusions uniquement parce qu'elles lui permettaient de faire ses courses ou sa gymnastique sans laisser mon père seul. Or, sitôt ce dernier disparu, elle avait repris son indépendance et, à quatre-vingts ans révolus, lorsque je la suppliais de m'autoriser à lui offrir des heures de ménage, elle avait décliné fermement cette éventualité.

Je l'ai donc toujours vue lessiver, repasser, aérer les lits, cuisiner les repas, aspirer la poussière, frotter les taches, ranger ses placards, sans jamais geindre, ni soupirer, ni s'interrompre. Si son comportement se coulait dans un automatisme, il dégageait aussi une morale : nettoyer, c'est respecter la vie, l'entretenir, la protéger de la corruption, voire l'embellir. Avec une patience inépuisable, ma mère prenait soin de la réalité qu'on lui avait confiée. Dans son activité ménagère, comme au cœur d'une prière, gisait un chant de grâce.

*

L'avouerai-je ? Officiellement, je débarrasse l'appartement en compagnie de Florence, Alain et Christine, pour accomplir ma part ; officieusement, je poursuis un plan clandestin : trouver les carnets de Maman.

Depuis des années, lors de nos voyages ou de ses séjours chez moi, tandis que je lisais ou écrivais, elle s'installait non loin, en silence, et rédigeait des phrases dans un carnet.

Si elle ne s'en cachait pas, elle n'en parlait pas non plus. Je supposais qu'elle tenait un journal, mais, par pudeur, je ne posais pas de questions. Parfois, au bas d'une page, elle relevait la tête, notait que je l'observais et souriait, l'air de me lancer : « Tu découvriras ça un jour… »

Cela devint presque un jeu entre nous. Rituellement, elle se plantait en face de moi, je feignais d'ignorer son activité, elle me décochait un regard amusé qui signifiait « Tu te demandes ce que j'écris, hein ? », puis nous baissions le front comme si rien ne se passait.

Depuis des années, j'ai rendez-vous avec ces carnets. Elle savait parfaitement que je les déchiffrerais un jour.

*

J'attends beaucoup de ses carnets.

J'y espère surtout la révélation d'un secret familial…

Depuis toujours, je guettais certaines confidences. Ma mère s'est retirée sans que nous ayons eu le temps de tout nous dire.

*

Je retrouve un lot de carnets !

Je les glisse dans mon sac, tel un voleur.

Je les lirai ce soir à l'hôtel.

*

Une heure plus tard, criblé de remords, j'interroge ma sœur d'un air candide :

— Maman écrivait-elle quand elle partait en vacances avec vous ?

— Des lettres ou des cartes postales ? Non, rarement.

— Elle ne remplissait pas des carnets ?

— Des carnets ?

Méthodique, ma sœur attaque un nouveau placard, sourde à mon allusion. Je n'en révèle pas davantage parce qu'elle a validé ma théorie : Maman n'utilisait ses carnets qu'en ma compagnie.

Ils m'étaient destinés, je ne les ai pas dérobés.

*

Je suis touché par les premiers carnets. Elle y raconte nos voyages avec un humour tendre et distant.

Un détail m'égaye : lorsqu'elle évoque notre intimité, elle emploie *Éric,* mais quand elle désigne une de mes prestations en public – conférence, interview, émission –, elle préfère *EES*.

Si elle apprécie parfois son fils en représentation, elle ne le rate pas : « EES très à l'aise. Trop. »

*

Je n'ai pas trouvé ce que j'attendais dans ces carnets. Dans les prochains sans doute...

L'impatience me taraude. J'ai besoin d'élucider un mystère.

*

Ma mère écrivait à la perfection, maîtrisant un style délié, fluide, élégant. Dépourvue de vanité, elle n'en tirait aucun orgueil et frissonnait si je la complimentais.

– J'aime bien écrire, rétorquait-elle, les yeux baissés, comme pour s'excuser.

Longtemps, j'ai cru que la complétude de ses phrases découlait d'un don spontané. Or, un jour, au cours d'un voyage en bateau, je dus fournir d'urgence un mot sur George Bernard Shaw destiné à une exposition à la Bibliothèque nationale de France.

Installée en face de moi dans la bibliothèque du navire, elle achevait la lecture d'un roman tandis que je pianotais sur mon clavier d'ordinateur.

Le texte bouclé, à peu près satisfait de sa tournure, je lui proposai de le parcourir. Après s'être exécutée, elle hocha la tête.

– Joli, mais…

– Mais ?

– La première phrase et la deuxième suivent exactement la même syntaxe.

J'en demeurai bouche bée. Cette exigence qui n'appartient qu'aux authentiques écrivains, ce canon à l'œuvre chez Colette, Flaubert ou Maupassant, elle me l'énonçait avec naturel, sobrement, comme si j'avais oublié de me laver les mains avant de passer à table. Son aisance stylistique s'avérait donc aussi réfléchie qu'instinctive.

– Quoi ? demanda-t-elle, gênée que je la scrute.

– Rien…

– Si, tu as l'air bizarre.

– Je me dis juste, pour répéter une de tes expressions favorites, que les chiens ne font pas des chats.

Elle s'empourpra et détourna la tête.

*

J'enrage ! Ma recherche des carnets m'exaspère. Je peste de ne pas tous les dégoter.

Ma mère a forcément consigné dans l'un d'eux ce que je veux savoir à propos de ma naissance.

*

Nous disposons dans des cartons des milliers de volumes, romans, essais, encyclopédies. Destination ? Une bibliothèque et un club de lecture.

– Comment un appartement normal peut-il contenir une telle quantité de livres ! m'exclamé-je cet après-midi, en nage, le dos moulu.

Maman, appuyée contre le mur, me répond avec un rictus coquin :

– Les chiens ne font pas des chats.

*

Je consulte les albums de photos. Avant ma naissance en 1960, les gens vivaient en noir et blanc. J'ai amené la couleur au monde.

*

Moment cruel. Je tombe sur mes livres, dédicacés année après année ; les premiers portent l'indication « Pour mes parents », les derniers « Pour Maman ». Invariablement, lorsque les volumes arrivaient tout chauds de l'imprimerie, je les envoyais aussitôt à Lyon.

Les yeux pour lesquels j'avais tracé ces mots se sont fermés. Les murs tanguent alentour. Un vertige m'incite à m'asseoir.

Là, étourdi, je m'efforce de tempérer mon émotion en régulant mon souffle.

Mes doigts tremblent en compulsant les pages. Mes parents n'existent plus et, entre mes mains, l'exemplaire dédicacé à leur nom pèse moins lourd, il s'émousse, se pulvérise.

Ma sœur me rejoint, s'avise de mon abattement, devine la situation.

– Les garçons, Stéphane et Thibaut, pourraient récupérer les titres qu'ils n'ont pas ? À l'époque, ils étaient trop jeunes pour que tu les leur offres.

– Bonne idée.

– Mais les autres… Non, ceux-là on ne les fourguera pas au club ou à la bibliothèque !

Je redresse le buste.

– Je les garde. Ce seront les miens. Ça me changera : je ne les conservais pas chez moi.

*

Depuis mes fenêtres, à l'hôtel, je tente d'apprivoiser Lyon, qui s'étale sous mes yeux, je me force à l'aimer pour lui-même.

Chimère ! Lyon demeure un mausolée construit autour d'une reine absente.

*

Je parle de toi dans une langue que tu m'as apprise et que tu n'entends plus.

*

Christine, notre cousine, nous procure une aide bienvenue. Non seulement elle empaquette plus vite qu'un déménageur breton, mais elle marque une distance avec les objets qu'elle remet à leur place d'objets et nous retient, ma sœur et moi, de les dorer d'une valeur sentimentale.

*

Depuis une semaine, je dialogue avec les objets.

À l'évidence, les objets n'ont que le sens qu'on leur concède.

Néanmoins, souvent, on ne renonce pas à un objet parce qu'on ne veut pas renoncer au sens.

*

Ma robe de baptême...

Au fond d'une boîte, je la découvre, minuscule, bleue, intacte, en forme de tulipe, entre des feuilles de papier japonais.

Ma mère l'a préservée pendant cinquante-sept ans.

Que faire ? Je ne vais pas jeter un vêtement qu'elle a préservé pendant cinquante-sept ans ?

Je l'emporte.

Ce que je rangerai, demain, chez moi, à la campagne, c'est l'amour de ma mère entre des feuilles de papier japonais.

*

Retour à la maison, en Belgique.

De Lyon, j'ai rapporté des sacs à main pour mes trois belles-filles.

Lorsque je les pose sur une banquette, les chiens fusent, surexcités. Manifestant une joie extrême, ils m'enjoignent d'abord du regard, ensuite d'un geste impérieux du museau, d'extraire le contenu des sacs.

Je ne comprends pas.

Ils trépignent, insistent, jappent, se rapprochent des sacs. Avec précaution, en battant de la queue, ils introduisent leur truffe à l'intérieur.

Tout s'éclaire : ils ont reconnu les sacs de Maman à leur odeur et, puisqu'elle en sortait chaque fois des jouets pour eux, ils attendent leur cadeau.

Je les rejoins et renifle les sacs.

Je ne sens rien.

Comme je les envie de percevoir la présence de ma mère quand moi je n'y parviens pas…

Ils s'entêtent, ils gémissent, incapables d'accepter que ce parfum n'annonce pas leur plaisir. Afin de les calmer, je les caresse avec des sentiments mêlés, les plaignant de ne pas saisir ce qu'est la mort, puis, la seconde suivante, les jalousant.

*

Je reviens bredouille de mon expédition. Les carnets, du moins ceux que j'ai dénichés, ne recèlent pas l'explication concernant ma naissance.

Combien de temps devrai-je vivre avec cette incertitude ?

*

Au milieu de l'océan, sur le navire, dans ma cabine obscure, le soir où j'avais souhaité me jeter à l'eau, ma décision de mourir ne traduisait aucune sincérité : elle appartenait à la logique.

Ne découlait-elle pas d'un pur raisonnement ?

« Puisque je ne supporte plus le chagrin, je vais le supprimer en me supprimant. »

Or je ne m'y suis pas résolu – le verbe « résoudre » sonne juste, quoique « réduire » conviendrait encore mieux.

La logique n'exprime pas tout de l'être humain. Peut-être même en demeure-t-elle une part minime, voire une couche superficielle.

On ne se suicide pas par déduction, pas quand les forces de vie, plus puissantes, plus nombreuses, nous habitent.

*

Si le suicide n'apporte pas la solution, l'idée du suicide offre une consolation provisoire aux humains.

Soyons honnête : elle aide parfois à traverser une journée douloureuse ou une nuit exécrable.

L'espoir qu'on puisse renoncer à la vie l'adoucit.

*

En me levant ce matin, j'ai fantasmé la présence de Maman auprès de moi. Elle me jaugeait en me signalant que je n'avais pas le droit de laisser mourir en moi ce qui restait vivant.

– Ce n'est pas la peine de se tuer : on meurt toujours trop tôt.

*

Absurdité du suicide : on sait ce que l'on fuit, on ignore ce que l'on trouve.

*

Hier, le jardinier entre dans la bibliothèque pendant que Sa Majesté Fouki me prouvait son affection à l'abri des regards, en me léchant du bout de sa langue rose, un peu râpeuse.

Elle stoppe, outrée qu'on la dérange.

Le jardinier s'exclame :

– On voit que vous êtes son maître !
– Pas du tout. Je suis son esclave préféré.

*

Festival d'Avignon. Depuis ma jeunesse, il ouvre pour moi le bal lumineux de l'été.

Nous avons loué une maison à l'intérieur des remparts. Yann recherche les chorégraphies, Bruno, en compagnie de Nathalie, bondit d'une salle à l'autre pour trouver des spectacles à programmer au Rive Gauche, le théâtre que nous dirigeons à Paris. Quant à moi, je joue la mouche du coche.

Soit mon genou flotte, soit il m'envoie des pointes de douleur. Chaque matin, au sortir du lit, sitôt les pieds posés au sol, je me rends compte que l'embarras empire. Comme je ne désire pas inquiéter mes proches et que les gens me saluent dans les rues d'Avignon, je m'applique à soustraire ma boiterie aux regards et j'y parviens presque. De cette orgueilleuse dissimulation mobilisant une partie de mon énergie résultent deux conséquences : je m'épuise et me renferme davantage.

« Depuis la mort de ta mère, tu ne veux plus avancer ! » avait suggéré Alain, mon médecin. Au-delà de cette symbolique, mon corps ne protège-t-il pas mon esprit en m'infligeant la douleur physique plutôt que la tristesse, l'inflammation au lieu du chagrin ?

Le bobo panse le désespoir...

*

Ces jours où nous transpirons au cœur de la fournaise avignonnaise, je me replie dans l'ombre de la maison et tente de discerner ce qui, en moi, vient de ma mère. Cet inventaire m'apaise.

Face au miroir, je retrouve l'œil noir, le menton rond, la mâchoire carrée, les sourcils légers, dissymétriques, et je leur souris. Je malaxe entre mes doigts ma peau compacte, épaisse, très peu ridée, et je l'en remercie. Même l'empâtement de mes traits en ce moment me plaît, identique au sien durant ses dernières années.

Je m'amuse de nos défauts communs : la difficulté à nous réveiller le matin, l'impossibilité de nous coucher le soir, cette maraude incessante et compulsive autour de minuit qui nous empêche de gagner le lit sans avoir toupillé, rangé, parcouru couloirs et escaliers pour exécuter mille menues tâches superflues.

Elle m'a inculqué l'amour des animaux. Imposant son envie à mon raide père qui abhorrait les chats et redoutait les chiens, elle me permit, à huit ans, de recevoir une chienne, Tina, charmant spitz allemand au pelage de neige qui, malheureusement, succomba très vite à la maladie de Carré. Par la contrainte, toujours, auprès de mon père, avec mon aide cette fois, elle nous dota ensuite du chat Socrate et du chien Tao, tous deux ébène, complices de chasse, copains à la vie à la mort, qui embellirent mon adolescence. À l'âge adulte, je poursuivis cette cohabitation, n'imaginant pas une existence hors de la compagnie des bêtes. Maman adora donc Léonard, un chat de gouttière géant, qui vécut vingt-deux ans, survécut à plusieurs cancers et à une chute depuis le sixième étage, puis Fouki, Daphné et Lulu. Comme à mon grand-père, le temps passé à divertir les animaux, à les comprendre, à les promener, à les câliner, à échanger des regards avec eux, ne paraissait pas du temps perdu à ma mère. Nous coulions des heures à leur lancer un bâton ou une balle, à leur cacher des objets avant de les faire resurgir, à nous camoufler dans les dédales de la maison campagnarde pour les surprendre ; nous riions sans fin, nous réappropriant l'énergique joie de l'enfance.

Elle m'a transmis le culte des arts, de la littérature, le goût des voyages et une bouche pour la gastronomie.

Je ne suis pas seulement chair de sa chair, je suis esprit de son esprit.

Jamais je ne m'érigerai en fils rebelle, je demeure un héritier. Même l'écriture, l'axe de mon destin, l'a passionnée avant que je naisse. Avoir un rejeton dramaturge et romancier ne l'ébaubissait pas. En somme, j'ai gardé ses penchants et accompli certains de ses désirs.

Ma vie : son œuvre.

*

À la terrasse d'un café avignonnais, entre deux spectacles, Bruno me dévisage, ou plutôt me scrute, le front soucieux.

— Comment ça va ?

— Je ne sais pas.

— Je sens que, parfois, tu te retrouves un peu.

— Oui…

Bruno a dit cela autant pour m'encourager que pour s'en convaincre.

En fait, je ne me retrouve pas : je retrouve ma mère en moi.

*

Sa mort ne l'a pas expulsée de ma vie. Au contraire, je suis devenu son monument.

*

Je resterai toujours ton fils, malgré ton départ.

Puisque je serai ton fils, tu seras encore par moi.

*

Les rues d'Avignon pullulent de nos souvenirs. Depuis 1975, nous les avons fréquentées ensemble jusqu'à l'été dernier, avalant plusieurs pièces par jour.

Sans doute, son plus grand cadeau – en tout cas, un des plus déterminants – consista à m'initier au théâtre.

*

Il y eut une première fois…

La première fois se produisit aux Célestins, à Lyon, l'année de mes dix ans. Sur le perron du théâtre, Maman nous déposa, ma grande sœur et moi, billets en poche, en promettant de nous récupérer trois heures plus tard.

Dans une salle bondée, bruissante, une ouvreuse revêche nous installa au rang collé à la scène, ce qui horripila Florence. « Les acteurs, on va leur compter les trous de nez ! Et bonjour les postillons ! » bougonna-t-elle en s'enfonçant dans son siège.

Avant même que le rideau ne se lève, j'étais fasciné.

Par quoi ? Par le rideau justement. Une toile figurait un volumineux rideau en velours, gonflé de plis, serti de broderies, serré par des embrasses en perles à glands d'or. Ce subterfuge me sembla simultanément misérable et fastueux, misérable car je remarquais bien qu'il s'agissait d'un tissu tendu et plat, fastueux car la peinture donnait l'illusion de riches drapés. En fermant les paupières, les rouvrant, fixant le tableau à travers mes cils, j'essayais d'obtenir que le trompe-l'œil me trompât complètement. En vain ! La seule manière d'être bluffé relevait de l'esprit, pas de la vue : il fallait adhérer au mensonge. Sans que le spectacle ait commencé, je pressentis que mon plaisir viendrait autant de moi que de la scène.

Le rideau s'envola vers les cintres, dévoilant un décor de toiles peintes. De nouveau, mon attention fut absorbée par les détails : si je croyais à des perspectives et à des profondeurs, dès qu'une porte claquait, des vagues parcouraient les panneaux en trahissant leur planitude. Le pic fut atteint au deuxième acte, lequel se passait chez le traiteur Ragueneau : là, sous une soupente en poutres anciennes, pendaient des jambons en carton qui m'ensorcelèrent ! Au cours d'une seconde, ces jambons oscillaient entre le vrai et le faux ; sitôt que je les considérais comme authentiques à cause de leur forme et de leur couleur, ils m'apparaissaient factices par leur légèreté creuse ; puis, dès que je les estimais truqués, ils criaient de vérité. Bref, je subissais le charme de l'*artifice*, ce balancement continu du vrai au faux. Grâce aux jambons en carton, j'adoptai le théâtre, ce lieu où la réalité demande l'aide de l'imagination pour acquérir sa cohésion. Oui, le théâtre, lui, avait besoin de moi, car ce trompeur n'abuse qu'un trompé consentant. Je frétillais de recevoir un rôle.

Et la pièce ? À la différence de la théâtralité, elle mit deux actes à me convaincre – heureusement, *Cyrano de Bergerac* en compte cinq.

Le fait que les personnages s'exprimassent en vers ne me surprit pas ; au contraire, cette sophistication me parut s'accorder aux illusions ambiantes. Pourquoi auraient-ils parlé comme tout le monde, ces hommes et ces femmes bariolés qui n'évoluaient pas dans un univers normal ? La tenue de leur langue – rigueur, fantaisie, poésie –, leur brio, leurs reparties virtuoses, cela participait du spectacle. La banalité langagière aurait rompu la chaîne des enchantements.

L'intrigue m'empoigna. Ce flamboyant Cyrano qui se croit inapte à inspirer la passion me décontenança : dès qu'il comprend que l'exquise Roxane a une inclination pour Christian, son rival, il bâillonne son dépit en entrant au service de ce Christian aussi ravissant que nigaud ; à la place du bellâtre, il prononce dans la nuit les phrases d'amour et écrit depuis les champs de bataille les sublimes lettres à la bien-aimée. Pendant le siège d'Arras, Christian tombe au combat. Cyrano survit, et, vingt ans après, son amie Roxane lui avoue qu'elle ne se souvient plus des traits du décoratif Christian, mais qu'elle a retenu à jamais chaque mot de ses missives. Agonisant, Cyrano découvre que Roxane l'adore. Trop tard, il meurt.

Si, au début, je ris des facéties de Cyrano, je luttais contre mon émotion au fur et à mesure que le drame s'enténébrait. Enfin, je n'y tins plus, d'irrésistibles sanglots me secouèrent, j'ouvris les digues aux larmes.

Quelles larmes insolites ! Si fortes et si douces à la fois… Exceptionnellement, je ne pleurais pas sur moi, mais sur un autre. Moi, l'enfant qui ne doutait pas d'être aimé, je quittais mon point de vue, me délestais de mon égoïsme, compatissais avec un étranger ; j'éprouvais le chagrin et la pitié, ou plutôt le chagrin de la pitié. Voici le nom de ces larmes : les larmes altruistes, les larmes philanthropiques. Saisi par une solidarité inattendue avec un personnage d'un siècle exotique qui ne me ressemblait pas, j'élargissais mon champ de sympathie.

Quand la salle se ralluma, je pensais que les spectateurs – et ma sœur d'abord – railleraient mon visage ravagé. Or, lorsque, penaud, j'osai lever les yeux autour de moi, je n'aperçus que têtes penchées, paupières gonflées et nez rubiconds.

Cette révélation m'euphorisa. Non seulement ces larmes m'avaient modifié, mais je les avais partagées avec huit cents adultes. Entraîné par la foule vers la sortie, je me jurai que je reviendrais le plus tôt possible dans cet endroit fabuleux.

Maman nous attendait dans le hall et, attendrie devant nos mines bouleversées, s'agenouilla pour me serrer dans ses bras.

– Alors, cela t'a plu ?

– Oui. Beaucoup. Je veux faire ça plus tard.

– Quoi, ça ?

– Faire pleurer tout le monde.

– Tu veux être acteur, comme Jean Marais ?

Elle me rappelait que son idole, le comédien Jean Marais, interprétait Cyrano.

Je secouai la tête en signe de négation, me tournai vers l'affiche, la déchiffrai et précisai :

– Non, plus tard je veux faire Edmond Rostand.

Ce *Cyrano* fournit la pierre sur laquelle toute ma vie dramatique s'édifia : non seulement j'y connus ma première expérience scénique, mais j'y vécus ma première expérience humaniste en vibrant à l'unisson de personnages opposés à moi. De la représentation, j'émergeai spirituellement enrichi. L'humanisme, cette fraternité de destin avec l'autre, le spectateur la perçoit par le plaisir et l'émotion, sans qu'on lui administre une leçon.

Le lendemain, puisque je piétinais d'excitation, Maman m'acheta le livre, *Cyrano de Bergerac*, et je m'enfermai des heures dans notre salle de jeux pour en déclamer les tirades. À la fin de chaque séance, je m'appuyais contre un mur, comme Cyrano s'appuie contre un arbre, et je jouais sa mort grandiose, terminant en sanglots.

Après une semaine, notant que mon enthousiasme ne s'évaporait pas, Maman afficha un air mystérieux, me prit par la main et me conduisit jusqu'à une penderie de la maison.

– Si tu t'intéresses au théâtre, je te donne accès à ma bibliothèque.

Elle tira la porte et je découvris plusieurs rayons garnis de livres.

– Ce sont les classiques : Molière, Corneille, Racine, Marivaux, Musset, Hugo.

Elle saisit quelques fascicules au papier friable, jaune, presque orangé tant il avait vieilli. Sur les couvertures, une reproduction en médaillon de l'auteur, imprimée à l'encre violette, avait, elle aussi, subi les outrages du temps. La vétusté des brochures, loin de les disqualifier, les rendit aussitôt précieuses à mes yeux. Elle ajouta, le regard pétillant :

– Je les collectionne depuis mon adolescence.

Elles me semblèrent encore plus précieuses.

– Ton père a refusé que je les range dans la bibliothèque, il les trouve trop moches.

Là, j'étais définitivement conquis !

*

L'armoire magique devint ma compagne de prédilection. J'en soutirais les pièces, les lisais une à une, les relisais, puis en discutais avec ma mère le soir. Le monde de Molière, de Corneille, de Racine, de Marivaux lui était aussi familier que le nôtre, et nous papotions, en épluchant les légumes, sur le bon sens de Toinette, l'audace de Scapin, l'égoïsme de Monsieur Jourdain, l'hypocrisie de Tartuffe, comme s'il s'agissait de nos voisins.

Sans doute est-ce grâce à cette imprégnation que les astuces et les procédés dramatiques entrèrent au plus intime de moi, au point que, des années plus tard, au lendemain de ma première pièce, un critique, étonné par ma virtuosité, s'exclama : « Il connaît tout du théâtre et de ses ruses. Ce jeune homme manque singulièrement d'inexpérience ! »

Naturellement, ces lectures appelèrent d'autres pèlerinages au théâtre. Maman nous embarqua voir de multiples pièces du répertoire, puis des comédies de boulevard – qu'elle ne prisait guère – afin d'apprécier les numéros d'acteurs.

Souvent, elle nous déposait, Florence et moi, devant la salle et nous reprenait après la représentation. Elle prétendait alors qu'elle en profitait pour courir les magasins ; aujourd'hui, avec le recul, je pense qu'elle n'osait pas nous dire que son budget lui permettait d'acheter deux places, pas trois.

*

Par la suite, notre famille se divisa pour les loisirs. Ma sœur, éprise de sport, escorta mon père dans des randonnées alpines ; moi, amoureux du théâtre, j'accompagnai Maman aux Festivals d'Avignon et d'Aix-en-Provence.

Puis ce fut mon tour de l'inviter : j'y louais, chaque été, une maison ; la tradition se perpétuait.

Il y a cinq ans, Maman, Maïa et moi assistions à une pièce de Marivaux. Épuisés d'avoir traversé Avignon au pas de charge, en nage, nous nous étions écroulés sur nos sièges et tentions de nous éventer avant que la comédie ne commence. Devant les joues écarlates de Maman, je me reprochai de l'avoir obligée à foncer dans les rues caniculaires.

Maïa, quinze ans, venait elle aussi d'être piquée par la passion du théâtre et suivait avec nous quatre à cinq spectacles par jour. Elle s'exclama, amusée par notre récente galopade :

– J'adore le Festival !

– Je m'en réjouis, ma petite Maïa, répondis-je. Moi, j'ai débarqué ici lorsque j'avais quinze ans, comme toi.

Maman m'avait emmené. Et aujourd'hui, quarante ans après, c'est moi qui l'emmène.

Elle contempla Maman qui s'épongeait le front et murmura à mon oreille, pendant que la lumière baissait :

– Dans quarante ans, je t'emmènerai.

Je ne me souviens pas des premières minutes du spectacle tant je frémissais d'aise…

*

Nous avons quitté Avignon et nous partons pour la Crète. Je suis soulagé par cette destination, car elle désigne un lieu qui n'est pas habité par un fantôme. Nous avions visité la Grèce, ma mère et moi, mais manqué de temps pour naviguer jusqu'à l'île de Minos et Pasiphaé.

*

J'ai l'impression d'aller un peu mieux.

Sous un ciel immaculé, nous alternons baignades et lectures. J'ai emporté une valise entière de livres, ceux de la rentrée, pour préparer la sélection du Goncourt. Nous nous échangeons les meilleurs et discutons passionnément de leurs qualités ou de leurs limites. J'ai rarement coulé d'aussi paradisiaques vacances.

De ma sœur, qui traverse les Pyrénées à pied, j'apprends qu'elle se sent mieux. Cette accalmie représente-t-elle, pour nous deux, une étape du deuil ou le bête bénéfice des vacances ?

*

Ma mère ne me voulait pas seulement en vie, elle me voulait heureux. Envers elle, j'ai un devoir de bonheur.

Elle n'aurait pas toléré l'état dans lequel j'ai croupi ces derniers mois et je saisis que ce devoir de bonheur vaut après sa mort.

*

Retour en Belgique.

Je crains que ma joie soit restée en Crète.

*

Le dimanche après-midi…

Les gens appréhendent le dimanche après-midi. Enfant, je le détestais, car je n'y voyais, même sous un soleil éclatant, qu'un très long crépuscule. Alerte ! Le temps du loisir mourait, les heures moisissaient, nous allions quitter l'espace de liberté pour buter sur l'affreux lundi matin où il faudrait s'éveiller tôt, se harnacher en écolier, remplir son cartable et rejoindre l'univers des contraintes en se dirigeant vers une interrogation de mathématiques ou de géographie.

Au lieu d'occuper ce moment par une activité plaisante, je le subissais en ne vaquant à rien. Accablé d'ennui, les yeux rivés sur des magazines qui me laissaient indifférent, je m'empiffrais de gâteaux, de chocolat, de lait concentré, que j'avais dérobés à la cave. Par dépit, l'excès me semblant une solution, j'espérais le malaise, la nausée, la crise de foie, la dyspepsie salvatrice, qui m'autoriserait à garder le lit. Hélas, j'ai toujours pu, comme le soulignait ma mère, « digérer des enclumes » et recouvrais l'appétit au souper.

Qui craint le dimanche après-midi craint en réalité le lundi matin.

Adulte, je ne l'ai plus redouté parce que ma vie me plaisait, quel que fût le jour.

Une habitude pourtant me ramenait aux dimanches de mon enfance : j'appelais ma mère. Nous devisions abondamment, plus longtemps que lors d'une conversation en semaine. Nous nous donnions des nouvelles, évoquions l'actualité, riions à profusion – surtout de ce qui n'est pas drôle – et nous décrivions les livres lus, les films vus, les spectacles... Si elle voyageait peu, ma mère consommait beaucoup de presse – quotidiens, magazines, revues –, écoutait la radio, regardait la télévision avec discernement, de sorte qu'on ne la trouvait jamais en défaut d'informations. Du vert et pétulant secrétaire d'État au dernier espoir de la chanson, rien ne passait en dessous de son radar. Je ne m'entretenais pas avec une vieille personne.

Allègre, badin, le dialogue s'achevait invariablement par l'annonce de mes occupations dans la semaine, suivie de sa phrase liturgique :

– Prends soin de toi. Ménage-toi. Ne te crève pas à la tâche. Pense à toi.

Je marmonnais quelque chose de flou, un grognement qui se traduisait aussi bien par « je t'obéirai » que par « je ferai à ma guise », et je raccrochais.

Si j'omettais de la joindre un dimanche, elle contactait Gisèle le lundi, inquiète :

– Éric est-il malade ?

En réalité, par décence ou par délicatesse, elle attendait plutôt le mardi matin.

Depuis son départ, le cafard ternit mes dimanches après-midi. Vers 17 heures, mon âme s'envole vers Lyon et mes mains, par réflexe, saisissent le téléphone. Une autre partie de mon cerveau corrige alors cette habitude et m'apprend, une fois encore, que ma mère est morte.

Le nouveau coup de poignard dominical…

*

La mort de ma mère rend ma mort plus présente.

*

– Quel âge as-tu ?

Depuis l'enfance, lorsque j'énonçais mon âge, j'avais le sentiment de lâcher une incongruité. Quel rapport entre un nombre et moi ? Aucun ! Je n'étais ni un moi de dix ans, ni un moi de vingt ans, ni un moi de quarante ans ; j'étais moi à dix ans, à vingt ans, à quarante ans, toujours moi, rien que moi. L'étiquette des années me paraissait arbitraire, absurde, inessentielle, sujette à une constante et rapide obsolescence.

Le décès de ma mère m'a gravé l'âge sur la peau. Les chiffres ont le tranchant de l'acier. Aiguisés, ils coupent, ils blessent.

J'ai pu ignorer mon âge tant que ma mère vivait. Mieux que jeune, je demeurais enfant. Sa soudaine disparition m'a délesté de mon insouciance, chargé de mes décennies, alourdi de craintes : j'ai désormais cinquante-huit ans et cela ne s'arrangera pas.

Je fus un fils, je suis un vieux, je serai un mort.

L'avenir se bouche. L'horizon a cessé de reculer à mesure que j'avance, il élève un mur dont je m'approche

quotidiennement et contre lequel, un jour, je me fracas-
serai.

L'indéfini et sa légèreté ont disparu.

*

Le temps qu'il me reste...

Quel orphelin n'y songe pas ?

Le temps qu'il nous reste... Nous dénombrons les
années qui nous séparent de l'âge où nos parents ont
trépassé et nous nous accordons ce laps.

Pour la première fois, je pense à l'envers. Mon exis-
tence a un terme – quatre-vingt-sept ans – et je décompte.
Il me reste trois décennies. Voilà que je calcule à rebours.
Quelle sinistre révolution !

Avant, les années enrichissaient le maigre zéro de
départ. Aujourd'hui, je les retire du chiffre fatidique.

Avant j'ajoutais. Aujourd'hui, je soustrais.

Avant, je croissais. Aujourd'hui, je diminue.

J'ambitionnais d'aller vite. Je souhaite ralentir.

*

J'effectue ma rentrée avec *La Vengeance du pardon*.

Comme froissé, je me défie de tout. Je m'effraye de
chaque rencontre, de chaque émission, de chaque

conférence, de chaque séance de signatures, persuadé que je n'y parviendrai pas. Or j'y parviens toujours.

Mes capacités n'ont pas décliné, mais ma confiance en elles.

*

Le devoir de bonheur ?
Il va falloir que je me force. Pour l'heure, je n'obtiendrais pas un prix de vertu.

*

Le passé se réveille et me tourmente. Des failles, des tiraillements, des doutes, venus de très loin, émergent dans le présent, figent mes pensées, retiennent mes actions.

En réalité, le passé ne me torture pas, mais ce que j'ignore du passé.

Maintenant que j'ai parcouru plusieurs fois les carnets de Maman, je détiens la certitude qu'ils ne contiennent pas ce que j'avais espéré : un récit sur le secret de ma naissance.

Durant toute ma vie, j'ai attendu une scène que j'avais imaginée... Ma mère, extrêmement vieille, exténuée, à l'aube de son départ, m'agrippait la main en me disant dans un souffle :

– Je dois te révéler quelque chose sur ta naissance.

Ces dernières années, vu sa solide santé, j'acceptais de patienter encore sans percevoir la fumisterie que j'avais élaborée : dans la réalité, personne ne sait quand la mort le surprendra, ma mère pas plus qu'un autre, et mon sublime épilogue ne renfermait que peu de chances de se concrétiser.

J'aurais pu anticiper et provoquer la discussion... or je la craignais trop pour l'enclencher volontairement.

Maman aussi ?

Comment ferai-je, désormais ?

*

Je rencontre mes lecteurs à Strasbourg dans la prospère librairie Kléber, devenue Gallimard.

Après une présentation de *La Vengeance du pardon*, je signe des centaines d'exemplaires. Comme toujours, l'exercice me plaît autant qu'il me frustre : je souhaiterais dialoguer avec chaque homme ou femme qui me tend un livre, désireux de connaître son histoire, mais l'horaire m'astreint au laconisme. Je me contente d'échanger quelques regards, quelques phrases, comptant sur mon intuition pour appréhender la totalité de la personne, puis je la remercie afin de laisser place à la suivante.

Un couple âgé se pose en face de moi, bien décidé à ne plus bouger, et se penche au-dessus de la table, l'œil vif.

– Bonjour, Éric. Tu nous reconnais ?

Je bafouille d'embarras devant les deux visages attentifs, ridés jusqu'au bout des oreilles, qui anticipent une réaction positive. La vieillarde secoue les épaules et assène un coup de coude à son mari.

– Il était haut comme trois pommes.

Le vieillard dessine un sourire.

– Les Ricklin ! René et Solange Ricklin.

Si leurs figures ne m'évoquent rien, leur nom résonne dans ma mémoire. Je répète, tracassé :

– Les Ricklin... les Ricklin... Beauvallon ?

Soulagés, ils confirment en chœur :

– Beauvallon !

Ils rient comme si je les avais reconnus.

Monsieur Ricklin m'aide à remonter le fil du temps :

– Beauvallon, les années 60. Nous vous retrouvions l'été, Paul, Jeannine, Florence et... vous.

– Et « toi » ! corrige Solange Ricklin en tapant sur la main de son mari. On l'a toujours tutoyé, Éric.

– À présent, devant ce grand monsieur qui attire le respect, je n'arrive plus à dire « tu », riposte-t-il.

– Vrai que tu es devenu un grand monsieur. Quand Paul causait de toi, il étouffait de fierté.

– Ah ça ! approuve-t-il.

– Comment va Jeannine ? s'enquiert-elle d'un ton poli.

La conversation commence à me déplaire et j'aspire à y mettre un terme en précisant, les yeux baissés :

– Elle nous a quittés.

– Ah ! soupirent-ils à l'unisson.

Un silence suit. Je repère qu'ils pensent à eux, à leur âge, au fait que leur tour approche... Par souci de diversion, je saisis leur livre pour y tracer ma signature. Monsieur Ricklin balbutie :

– Quand ?

– Le printemps dernier.

– Nous bavassions de temps en temps avec votre père jusqu'à sa mort, mais depuis... Condoléances.

Madame Ricklin se tourne vers son mari et l'apostrophe, comme si je m'étais évaporé :

– Éric aimait beaucoup sa maman.

Je sens que je touche au bout de ma patience. Que cette scène stoppe ! S'ils s'apitoient sur moi alors qu'ils n'ont pas appelé ma mère depuis le décès de mon père, je les dédaigne. Ils devinent que je me cabre.

Lui se penche de nouveau vers moi et murmure :

– Je m'entraînais au judo avec votre père.

– Bien sûr, il m'en parlait souvent. Les Ricklin...

Je ne mens pas. Ce patronyme m'ayant émoustillé dès mon plus jeune âge, je l'avais retenu, à défaut de mémoriser leurs traits. Plusieurs fois, j'avais demandé à mon père des nouvelles des « Ricklin » pour le pur

plaisir d'articuler ce vocable. J'avais fini par me les figu-
rer en paire d'acrobates, vêtus de kimonos, qui se pro-
duisaient dans les cirques, annoncés par un Monsieur
Loyal tonitruant : « Et maintenant, les Ricklin ! »

De 1960 à 1968, notre famille passait les mois de juillet
et d'août à Beauvallon, un centre de loisirs situé sur la
commune de Sainte-Maxime. Ce village de bungalows en
paille, répartis entre les pins autour d'une ancienne maison
bourgeoise, débouchait sur une plage, offrait des activités
– voile, plongée, ski nautique –, un bar et un dancing à ciel
ouvert. Billets et monnaie n'y circulaient pas ; à leur place,
nous portions des colliers ou des bracelets dont chaque
« perle » en plastique représentait un ou cinq francs selon
sa couleur, ce qui permettait aux couples et à leurs enfants
de vivre libres, en maillot de bain.

Le directeur, un Parisien qui avait adhéré au premier
Judo Club de France après la guerre, pris d'engouement
pour cette méthode de combat, avait installé un vaste
dojo couvert, garni de tatamis, au milieu des résineux.

Usant de ses relations, il invitait dans le Var des
maîtres japonais, énigmatiques, efficaces, silencieux.
Français et Belges en vacances s'adonnaient à cet art
martial, lequel dégageait un parfum de nouveauté à
l'époque et n'appartenait pas encore aux disciplines
olympiques. À Beauvallon, personne, gamins compris,
ne se dispensait d'une formation de judoka.

Vite, mon père, sportif accompli, avait brillé dans cette discipline, plus par sa rigueur que par sa souplesse, et avait décroché la ceinture rouge, laquelle attestait d'un excellent niveau, juste en dessous de la noire.

Cette activité me laissait perplexe. À six ans, mes considérations ne dépassaient pas le plan de l'esthétique : j'appréciais tant le costume, ce blanc kimono de coton gaufré dont la veste flattait les épaules tandis que le pantalon fluide allongeait la silhouette, que je détestais ce que les judokas lui imposaient, qu'ils en dérangeassent l'ordonnancement en le plissant, en l'accrochant pour renverser l'adversaire, en le couvrant de sueur, de poussière, de crachats. Du reste, cette fringale de culbuter son partenaire me semblait puérile, surtout chez des adultes... Quant aux grimaces des lutteurs, elles atteignaient le sommet de la laideur, sans parler des bruits de chute et des « han », des « hein », des « hi » expirés par leurs puissants torses en nage... Obligé à m'asseoir en tailleur au bord de l'aire où les hommes se battaient, je me passionnais davantage pour la fourmi qui, le long d'une poutre, transportait sur son dos un pignon démesuré, que pour ce spectacle.

Quand mon père me proposa une initiation, je refusai, puis, devant son insistance, j'inaugurai une attitude de terroriste que je reproduirais par la suite dès qu'il entreprendrait de m'enseigner quelque chose : je ruinai ses efforts en feignant de ne rien comprendre. Je me raidis comme du bois lorsqu'on tenta de me projeter au sol, rendant la prise impossible, puis je terrassai méchamment et fougueusement Cédric, le premier garçon qu'on me demanda d'affronter. Choqué, endolori, Cédric brailla.

Mon père, après l'avoir consolé, ramené à ses parents et s'être répandu en excuses, fonça vers moi.

— Enfin, Éric, pourquoi te comportes-tu ainsi ? C'est un jeu.

— Un jeu ? Ce n'est pas drôle.

— Tu l'as blessé !

— Il voulait me foutre par terre.

— C'est un jeu…

— Pas pour moi !

J'adorais tenir le rôle du con vis-à-vis de mon père, parce que j'y réussissais très bien.

Persuadé qu'il s'adressait à une brute primaire, il avait abandonné mon apprentissage.

Dans la librairie de Strasbourg, monsieur et madame Ricklin se consultent. Les pommettes rosies, ils brûlent de m'avouer quelque chose, mais ils n'osent pas.

— Paul nous a confié tant de choses, commence-t-il.

— Tant de choses, corrobore-t-elle en secouant sa tignasse grise.

— Est-ce que… comment dire…

J'ignore ce qui m'arrive : je les encourage.

– Oui ?

Monsieur Ricklin inspire énergiquement, prend une résolution et lance :

– Nous avons des révélations. Sur vous et votre père. Votre père si fier de vous… Il faut absolument que vous le sachiez.

Des frissons me parcourent. Je cherche un moyen de m'esquiver, à droite, à gauche, puis je relève la tête.

Ils patientent, immobiles, le souffle retenu, suspendus à mes lèvres.

Je tremble, comment réagir, je…

– Donnez-moi votre numéro, je vous appellerai.

Comblé, monsieur Ricklin me tend un bristol comportant ses coordonnées.

Madame Ricklin affiche une mine sceptique.

– Le téléphone ? Vaut mieux que tu passes à la maison, Éric. On te racontera tout.

– Tout ! renchérit-il.

Ils me fixent, la bouche ouverte, identiques à force d'avoir vécu, mangé, dormi ensemble. J'ai l'impression qu'on m'a déshabillé devant eux, dénudé devant les dizaines de personnes qui piaffent.

Monsieur Ricklin insiste :

– Nous possédons une baraque en Belgique où nous allons régulièrement. Le Cottage, on l'a baptisée.

– Pas loin de chez toi.

– Plus commode.

J'enfourne leur carte dans ma poche.

– Je viendrai, merci.

*

Le destin trouve toujours une porte, une fenêtre, une trappe, un trou de souris par où s'introduire.

Voilà, il s'est manifesté. Il ne s'est pas glissé dans les carnets de ma mère, il s'est faufilé dans le corps des Ricklin. Le secret m'attend.

*

Si je veux savoir, je peux...

En ai-je envie ?

*

Peut-être dois-je préciser pourquoi mon père me prenait si facilement pour un taré. C'était l'idée qu'il s'était forgée de moi à la seconde où j'apparus sur cette terre.

Dans l'hôpital de Sainte-Foy-lès-Lyon, sitôt que je sortis du ventre de ma mère, mon père manqua défaillir : son fils portait un bec-de-lièvre ! Ma lèvre supérieure n'étant

pas finie, j'exhibais une encoche vide qui montait jusqu'au bas du nez.

Cette malformation congénitale pouvait se réduire à
un minime problème de peau, mais mon père, kinésithérapeute, n'ignorait pas qu'une telle fente labiale s'ac-
compagnait souvent de retards mentaux, de déficiences
intellectuelles, voire annonçait de graves infirmités.

Paniqué, il s'empara de moi, paraît-il, et vérifia mes
réflexes séance tenante.

S'il fut réconforté par mes réactions puis par le
pédiatre qui lui certifia que les deux parties de ma lèvre
se joindraient naturellement dans les semaines à venir, il
attrapa un tic : il demeura en perpétuelle alerte envers
moi.

– Ça, question stimulation, il t'a stimulé, ton père !
me rappelait Maman. Il craignait tellement que tu ne
sois pas normal qu'il t'a infligé des milliers d'exercices
jusqu'à ce que tu parles.

*

L'inquiétude pour autrui a deux visages : la tendresse
et la défiance.

Ma mère m'offrit le premier, mon père le second.

Elle se souciait de mon bonheur, il doutait de ma
réussite.

Quand, à l'école primaire, je récoltais de bonnes notes, les meilleures de la classe, il me traitait de « chouchou de la maîtresse » et la considérait d'un œil torve. Quand, au collège, j'excellais sans besogner, il ordonna qu'on me change d'établissement. Quand, du lycée, je rapportais des bulletins louangeurs, il taxait les professeurs de laxisme, déplorait les ravages de l'après-1968, brandissait l'abaissement du niveau. Il se calma un peu lorsque, à dix-sept ans, je gagnai le concours général en composition française – ce concours où chaque proviseur présente éventuellement un élève talentueux dans une discipline – et fus reçu au palais de l'Élysée par le président de la République, Valéry Giscard d'Estaing. Ensuite, le bac mention très bien contribua à l'amadouer jusqu'à mon entrée à l'École normale supérieure de la rue d'Ulm, l'agrégation de philosophie, puis la soutenance de ma thèse à la Sorbonne.

De ma naissance à ma vingt-septième année, j'ai passé mon temps à rassurer mon père.

*

Mystère du premier instant. Tout se joue en quelques secondes, et pour toujours…

Le regard suspicieux que mon père me porta dans la salle d'accouchement conditionna notre relation.

À sa défiance, je répondis par une méfiance.

*

– Curieux ! me dit un jour ma mère. Bébé déjà, tu ne supportais pas que ton père te tienne dans ses bras ou sur ses genoux. Tu hurlais, pleurais, devenais cramoisi, et il fallait que je te prenne contre moi.

Elle s'amusait de ce détail, lequel continuait à l'intriguer.

J'aurais dû répliquer :

– Normal, il ne me cajolait pas, il m'auscultait. Il ne me touchait pas par amour, il me sondait par peur.

*

Malgré les décennies, malgré mes études exigeantes, malgré la reconnaissance rapide que je reçus pour mes pièces puis mes romans, mon père ne vint jamais à bout de sa hantise.

La preuve ? Lorsque j'essuyais une critique défavorable dans un journal, au lieu de convenir qu'aucune bonne carrière ne s'accomplit sans hostilité – comme m'a lâché Omar Sharif en souriant sur le tournage de *Monsieur Ibrahim* : « Si tu n'es pas critiqué, tu n'es pas connu » –, mon père entrait dans des rages qui l'embrasaient quinze jours. Il appelait ses amis, vociférait son indignation, écrivait des lettres de protestation, réclamait à ses proches d'en rédiger, bref il partait au combat.

Cela m'émut, car je lui découvrais une vulnérabilité, une sensibilité que je ne lui avais pas spontanément prêtées. Je me reprochai alors de lui imposer cette épreuve, se transformer en père d'artiste, puisque, à l'évidence, on ne l'avait pas équipé pour cela.

– Comment tolères-tu ça ? me demandait-il, sincèrement épaté par mon détachement.

Je m'écriais chaque fois :

– Je sais parfaitement ce que j'ai fait, pourquoi je l'ai fait, et ce que j'en pense. Un olibrius qui consacre trois minutes à éreinter ce que moi je construis depuis des années ne modifiera ni ma conviction ni mon chemin.

– Comment dois-je réagir ?

– Revenir à ton opinion, délaisser celle des autres.

Néanmoins, il ne guérissait pas. Lassée, ma mère finit par escamoter les papiers négatifs, s'il en paraissait.

– Ton père va me refaire une jaunisse. Et je vivrai l'enfer pendant quinze jours.

À l'époque je songeais que ce père influençable manquait de confiance en son avis.

Aujourd'hui, j'interprète différemment ses colères incoercibles envers quiconque brocardait son fils. Cela le renvoyait à son doute, son inquiétude initiale, constitutive, cette terreur qui l'avait saisi devant l'enfant inachevé qui vagissait sur la table d'accouchement.

En revanche, ma mère, elle, lorsqu'elle lisait un entrefilet fielleux, haussait les épaules en s'exclamant :

– Celui-ci n'aime pas mon fils ? Quel crétin !

*

– Curieux ! répète ma mère. Bébé déjà, tu ne supportais pas que ton père te tienne dans ses bras ou sur ses genoux. Tu hurlais, pleurais, devenais cramoisi, et il fallait que je te prenne contre moi.

Des mains froides, dures, calleuses. La peau sèche, presque brûlée, collée aux tempes, râpeuse sur les joues à cause d'un rasage imparfait. L'iris gris tranchant. Et puis le fumet de la pipe, ces relents de tabac hollandais, âcres, fétides, corsés, répulsifs. L'odeur de sueur à l'occasion, car il s'épuisait au sport.

J'ai chéri d'autres transpirations, pas la sienne.

*

Je ne ressemble pas à mon père, cela ne m'a jamais échappé.

Il était blond, je suis brun.

Il était fin, je suis râblé.

Il bénéficiait de grands yeux azur, je me contente d'un marron ordinaire.

Il arborait des traits nets, aiguisés, tandis que les miens demeurent ronds.

Son physique aryen correspondait à son nom germanique. Le mien, qui louche du côté de l'Afrique, rend mon patronyme bizarre.

Jamais quiconque ne s'est écrié devant moi « Le vrai portrait de son père ! » alors qu'on l'affirmait sitôt que l'on connaissait ma mère. Lorsque, adulte, j'allais au restaurant en sa compagnie, personne ne soupçonnait notre parenté. Je me rappelle même sa fureur, dans une brasserie du Marais à Paris, quand un serveur, habitué à une clientèle bigarrée, me salua comme son jeune amant.

Longtemps conscient de la dissemblance, je ne m'en préoccupais pas, je m'en divertissais. Au temps où nous habitions l'immeuble de Sainte-Foy-lès-Lyon, jusqu'à mes huit ans, des locataires ou des visiteurs m'interrogeaient parfois :

– D'où viens-tu ?

Je devinais le but de leur question et, pour les agacer, je répliquais :

– Du troisième étage.

– Non, je veux dire… tes parents ?

– Père alsacien, mère lyonnaise.

– Ah bon ? Et il n'y a pas quelqu'un... comment dire... qui vient d'Afrique ?

– Si, vous avez raison !

Je jouissais des quelques secondes où mon interlocuteur se jugeait très malin, très perspicace, puis j'ajoutais :

– Mon grand-oncle Steinmetz avait été nommé évêque en Afrique.

Le questionneur grimaçait tandis qu'intérieurement je riais.

Quand nous avons déménagé à Écully, dans la villa que mes parents avaient achetée, je me suis retrouvé sans guère d'occasions que l'on nous vît côte à côte, privés de voisins, au milieu des champs et des bois, avant que le lotissement, lentement, se remplît de maisons.

Un samedi, alors que des copines de lycée étaient venues préparer un exposé chez nous, elles glapirent :

– Qu'il est beau, ton père !

J'en restai médusé. Je n'avais pas considéré mon père ainsi et, en le dévisageant à la dérobée, je ne parvenais pas à souscrire à leur idée.

– Maman, sais-tu ce que m'ont dit les copines, hier ? Que Papa était beau.

Des rougeurs émaillèrent ses joues et elle murmura :

– Qu'est-ce que tu crois, mon fils ?

J'écarquillai les yeux d'étonnement. Elle susurra :

– Pourquoi imagines-tu que toutes ses secrétaires en pincent pour lui ?

La remarque me pétrifia. Mon père était beau et moi, depuis quinze ans, je ne m'en étais pas rendu compte !

Je courus à la salle de bains et me scrutai attentivement. La conclusion tomba comme la hache sur le billot :

– S'il est beau, je ne suis donc pas beau.

Ensuite, sitôt que des filles braillaient « Qu'il est beau, ton père ! », je traduisais immédiatement le message en « Je n'aurais jamais supposé que toi, si moche, tu descendes d'un père pareil ».

Cette perception aiguë de notre écart s'amplifiait avec le temps. Nos caractères s'accordaient peu. Il méprisait couramment, j'admirais aisément. Il regorgeait de réponses tandis que je fourmillais de questions. Il raffolait de l'activité physique, je n'ambitionnais que de me vautrer sur un lit pour lire ou écouter des disques. Il se passait d'art.

Il s'exaspéra de ne pas arriver à m'éduquer à sa façon. Lorsqu'il me donnait un ordre, je rétorquais « Pourquoi ? ». Pendant que les enseignants chantaient mes louanges, il échouait, lui, à me transmettre quoi que ce soit. À son désespoir, je me montrais flexible et accommodant avec ma mère, rebelle et insolent avec lui. Il n'avait pas saisi qu'il avait placé notre relation sous un signe néfaste : l'autorité. D'après sa propre expérience familiale, la domination paternelle ne se discutait pas ; de même qu'il avait obéi à son père, il escomptait ma soumission. Or je haïssais l'autorité, la sienne ou celle de quiconque. À celui qui s'arrogeait le pouvoir de me commander, j'objectais très jeune un « De quel droit ? ». Personne ne détenant un ascendant légitime sur moi, je protestais avec virulence. D'où procédaient ces illusions de supériorité ? L'arbitraire hiérarchique heurtait mon intelligence, un ton péremptoire hérissait ma sensibilité.

Maman obtenait tout de moi par la douceur, mon père rien par la force. Il perdit la partie. Je lui échappais de plus en plus.

À l'adolescence, j'inventoriai cruellement ses déficiences. Alors que je pratiquais le piano avec passion et me saoulais de Mozart, Beethoven, Chopin et Debussy, il ne fredonnait pas une chanson sans détonner, commençant par *La Marseillaise* et pataugeant, malgré lui, dans *L'Internationale*. Son machisme me dégoûtait, pourtant commun à tant d'hommes de l'époque, et je ne ratais pas une occasion de le lui signaler.

Son attitude envers Maman déclara la guerre entre nous. Leur couple traversait une crise, mais moi, dépourvu de recul et de philosophie, j'adoptai aussitôt le parti de ma mère et montai à l'assaut.

Je l'avoue : je pouvais me révéler aussi franc que perfide, tous les moyens se justifiaient. D'un côté, je ripostais vertement à la place de ma mère, hasardant les mots qu'elle retenait ; de l'autre, je pissais en catimini dans ses bouteilles d'alcool et le lui dévoilais une fois qu'il avait bu – le chat Socrate m'avait servi d'exemple : comme il ne fraternisait pas avec mon père, chaque fois que ce dernier lui criait dessus ou le repoussait abruptement, le félin descendait dans son bureau et urinait sur ses dossiers.

Bel homme, mon père ? Le bleu de ses yeux semblait du velours aux femmes, de l'acier aux miens.

Nous sommes allés jusqu'à nous battre. Après cette lutte où nous avions roulé à terre, corps à corps, mon père trouva l'intelligence de dire :

– Assez. J'ai honte. Je ne veux plus de ça. Nous devons apprendre à nous entendre.

Dès lors, je cherchai une manière d'endurer sa présence et m'exerçai à la diplomatie. Lui également. Mes succès scolaires offraient une occasion de nous réjouir en chœur. En 1980, je bouclai mes valises afin d'intégrer l'École normale supérieure. J'avais assidûment travaillé, autant par goût de me cultiver que pour fuir mon père ; opportunément, il en tirait de la fierté.

En tout temps, je nous avais estimés différents. À vingt ans, lorsque je quittai la maison pour Paris, mon père ne me paraissait plus familier, mais étranger.

*

– Curieux ! répète ma mère. Bébé déjà, tu ne supportais pas que ton père te tienne dans ses bras ou sur ses genoux. Tu hurlais, pleurais, devenais cramoisi, et il fallait que je te prenne contre moi.

Si ma chair le refusait, était-ce parce qu'elle ne reconnaissait pas la sienne ?

*

Mon père n'était pas mon père.

Cette conviction grandissait tant en moi qu'à vingt ans, dès que j'eus déserté le nid, je l'adoptai comme ma version intime, authentique et secrète.

*

Était-ce la haine de mon père ou l'amour de ma mère qui m'incitait à suspecter mon origine ?

*

Si elle m'avait eu avec un inconnu, je n'étais donc que d'elle...

141

*

Lorsque, vers vingt ans, j'étudiai Freud et découvris le complexe d'Œdipe, j'éprouvai un malaise. Tuer mon père et épouser ma mère ? Je le faisais symboliquement. Dès l'enfance, je m'étais éloigné de lui en m'accrochant à elle ; je continuai à l'âge adulte en le traitant comme un étranger tandis que je fusionnais avec elle.

Cette lecture me ravagea. Je goûtai peu d'être démasqué. Encore moins de ressembler à tout le monde, fût-ce à Sigmund Freud.

Du coup, j'objectai au fondateur de la psychanalyse que, dans mon cas, une variable discordait : mon père n'était pas mon père.

*

Installé à Paris, je gardai ma théorie pour moi. Dans le même temps, nous inventions, mon père et moi, notre relation d'adultes, laquelle s'avérait meilleure que l'ancienne.

Par ses sœurs, j'avais appris qu'il me craignait. Il devinait que, s'il proférait une phrase révoltante, je couperais les ponts. En fait, il ne me craignait pas : il redoutait de me perdre.

Face aux efforts qu'il déployait pour conserver ce

fils fuyant, rebelle, singulier, ombrageux, qui ne sous-
crivait pas à son idée du bonheur, je baissai un peu la
garde.

J'adoptai une double pensée : mon père n'était pas
mon père, mais je tenterais d'aimer cet homme intelli-
gent, digne, intègre, respectable.

*

Une fiction mille fois ressassée finit par prendre
l'épaisseur de la réalité.

Plus je me persuadais que ma mère m'avait conçu
avec un autre, plus je trouvais touchant ce faux père
qui me manifestait son intérêt, son soutien, son admiration.

*

Lui, que savait-il ?

*

Les hasards de la génétique...

Quatre ou cinq fois, au cours de ma vie, lorsque des
collègues ou des voisins félicitaient mon père pour mes

succès scolaires puis artistiques, il avait grommelé entre ses dents :

– Eh oui, les hasards de la génétique !

La phrase m'avait transpercé. Quoi ? Mon père supputait que des parts d'ombre subsistaient dans notre filiation ? J'en étais resté pétrifié.

Un soir, ma mère se situait à ses côtés quand, pour répondre à des flatteries, il avait lancé d'une manière brouillardeuse :

– Eh oui, les hasards de la génétique !

Elle avait protesté :

– Oh, Paul, arrête, tu ne peux pas dire ça !

Sans un mot, il avait fui la pièce.

Qu'en conclure ? Les violentes disputes dont les éclats sonores traversaient la porte de leur chambre à coucher résultaient-elles d'un secret qu'il voulait percer ?

*

Parfois, je cherchais avec qui ma mère m'avait fabriqué…

Au milieu d'hypothèses farfelues, un candidat se détachait : Bobosse.

Il fallait avoir entendu ma mère prononcer ce surnom, Bobosse, l'œil luisant, les joues enluminées, les paupières palpitantes, les lèvres en avant, pour jauger l'impact animal de cet homme sur elle.

Il appartenait à la troupe La Lyonnaise, qui, au cœur des années 60, ressuscitait les danses folkloriques et surtout les danses de cour, précédant la renaissance du baroque en France. Sa fondatrice, madame Decitre, avait écumé les bibliothèques, récupéré les chorégraphies anciennes que ma mère, formée à enseigner, avait ensuite inculquées aux membres du ballet.

Gamin, assis sur le plancher en bordure de piste, je suivais occasionnellement les répétitions, lesquelles me captivaient davantage que le judo.

Un épisode m'avait déconcerté, un épisode qui se reproduisit, un épisode auquel j'assistai régulièrement jusqu'à l'âge de dix ans : ma mère ouvrait le bal avec Bobosse.

Plus magnifique que ma mère en train de danser, je ne connaissais pas : elle aspirait le ciel par les narines et y montait, belle à crever. Plus rayonnante que ma mère dans les bras de Bobosse, je ne connaissais pas non plus : avec ses yeux, avec ses mains, avec ses hanches, avec ses jambes, il veillait sur elle, agile et vigoureux à la fois, attentif, passionné, dévoué, solide. Ces deux-là faisaient couple comme personne, lui si viril, elle si élancée. Ils entraient les premiers en scène, éblouissant le public, impulsant leur dynamique aisance au reste de la troupe qui leur collait aux talons.

– À quoi ressemblait-il, ce Bobosse? me demanda Bruno, à qui je narrais ce souvenir.

– Massif, large d'épaules, puissant de cuisses, une bonne bouille, sympathique, pas une beauté, mais un homme jovial.

– Un peu comme toi, alors?

Troublé, je rangeai mon idée dans les ténèbres de mon esprit. Je n'avais ni envie d'en discuter, ni envie d'en savoir davantage.

*

Pourtant, j'aurais facilement pu rejoindre ma mère et exiger:

– Parle-moi de Bobosse. Comment s'appelle-t-il vraiment? Pourquoi ne le vois-tu plus?

Or cela m'aurait conduit à franchir la frontière qui sépare le fantasme de la réalité, ce dont je me sentais incapable. Et cela m'aurait obligé à quitter un père pour un autre, ce qui me déplaisait. L'anonymat seul me satisfaisait.

L'essentiel se bornait à une proposition limpide: tant que ma mère m'avait conçu avec un inconnu, je n'étais que d'elle.

*

À soixante-huit ans, mon père s'effondra sur le carrelage de la cuisine, inconscient. Le sang coulait dans son cerveau.

Emporté par les pompiers, il passa plusieurs mois à l'hôpital en réanimation, à la lisière du trépas. Il en ressortit paralysé à jamais. L'hémorragie cérébrale l'avait privé de sa moitié gauche.

À partir de son accident vasculaire, je remisai ma théorie, car je souffrais intensément pour lui et avec lui. Si mon amour ne s'était montré ni pulsionnel ni charnel, ma douleur le devint.

Nous nous sommes rapprochés durant les dix-huit années où il fut incarcéré dans la prison de son corps. Cet homme sportif, qui avait besoin de skier, de marcher, d'escalader, de parcourir des kilomètres à vélo ou des milles en voilier, cet athlète qui adorait transpirer, repousser ses limites, tester ses forces jusqu'à vomir, à qui l'épuisement physique apportait une sorte d'orgasme, trouva le moyen de traverser cette épreuve.

Un enfant perdurait en lui, un enfant qui attendait le matin où, aussi soudainement qu'il avait perdu le contrôle de son corps, il le recouvrerait ; mais un sage s'y établit pareillement, lequel se livra à la lecture, à la

conversation, à sa famille, à ses amis. Il vivait nos existences par procuration, à ma sœur, à ses petits-fils,
à moi, et nous nous racontions copieusement. Je me
mis à lui consacrer plus d'heures qu'à ma mère, au téléphone ou dans sa chambre, tant il le réclamait. Nous
renouâmes avec les discussions métaphysiques ou théologiques du passé, où nous évoquions Dieu, le Christ,
toutes choses auxquelles il ne croyait pas, auxquelles
moi, depuis mon expédition au Sahara, j'adhérais.

L'infirmité rendant la pudeur impossible, pendant les
soins que lui prodiguaient les infirmières, j'aperçus mille
fois le corps nu de mon père, son sexe mou, ratatiné, ses
muscles fondus, ses escarres pourpres, sa peau blafarde.

Plusieurs de ses amis subirent un accident similaire ;
ils moururent dans l'année. Mon père, lui, survécut dix-
huit ans, grâce à Maman, qui s'interdit de le confier à
une institution spécialisée et décida d'emménager dans
un appartement adapté, de lui dédier sa vie, du matin au
soir, prévenante, mobilisant sa force de sprinteuse, malgré l'âge, pour le soulever, le transférer dans son fauteuil, le pousser, puis l'emmener en voyage. Ensemble,
nous sommes allés à Paris, à Londres, à Rome. Plusieurs
fois par an, mes parents s'installaient une semaine chez
moi, à Bruxelles, où j'organisais à mon tour une ronde
d'infirmières et de kinésithérapeutes qui s'occupaient
de lui.

Lors de son ultime séjour, je lui présentai la maison de campagne que j'avais acquise, un chantier où j'entamais des travaux de cinq ans. Je lui annonçai :

– Je mettrai un ascenseur ici. Il te montera à ta chambre, dans laquelle tu auras une salle d'eau pour handicapé.

– J'espère que je la verrai, me répondit-il, ému.

Il ne la vit jamais, ce dont je m'étais douté, mais je n'envisageais pas d'aménager un domicile dont mon père serait exclu.

Sa maladie suspendit mes interrogations. Je ne désirais plus contester sa paternité ni ma filiation tant qu'il demeurerait parmi nous. J'avais tellement feint de l'aimer que je me demandais parfois si je n'y étais pas arrivé…

*

Les deux dernières années, je nourris de nouveau des sentiments ambigus à son égard : son infirmité épuisait tellement ma mère qu'il la tirait avec lui vers la tombe.

Lorsque je m'inquiétais de ses problèmes de santé, Maman les minimisait et concluait :

– De toute façon, avec ton père, je n'ai pas le droit de tomber malade ! Ne te ronge pas les sangs, Éric, je tiendrai.

Elle prenait soin de lui, pas d'elle, ou si peu. Je blâmais tant mon père de pourrir la vieillesse de ma mère, voire de l'écourter, que je me résignai à m'en ouvrir à lui. À peine avais-je articulé quelques mots qu'il soupira.

– Je voulais t'en parler aussi, Éric. Convaincs ta mère de me lâcher de temps en temps dans une institution médicalisée, qu'elle puisse se relaxer, venir chez toi en Belgique, entreprendre une croisière en ta compagnie. Aide-moi, car elle me résiste ! Elle se figure qu'elle m'abandonnerait.

Encore une fois, il dévoilait une âme plus noble que je ne le présumais. Je le remerciai et bataillai avec ma mère pour imposer quelques brèves ruptures.

*

Il disparut après une agonie tellement infernale que nous avons tous reçu sa mort comme une délivrance, lui le premier, Maman en deuxième.

*

Je n'ai jamais été le père de ma mère, alors que j'ai été le père de mon père. L'hémiplégie avait réduit Paul Schmitt à un pauvre corps chétif, débile, que nous devions alimenter, laver, soulager, déplacer. Maman ne m'a jamais laissé cette possibilité. J'ai perdu une mère forte et puissante, pas une mère que la sénescence aurait transformée en mon enfant.

*

Il avait exigé que sa dépouille soit réduite en cendres.

Après la cérémonie religieuse, Maman refusa de se diriger vers le crématorium tant elle abominait cette pratique. Je feignis de partager son aversion pour qu'elle ne s'en sente pas coupable, et Florence, bravement, s'y rendit à notre place.

Lorsqu'on nous rapporta l'urne, je la considérai en songeant : « Voilà. Plus d'ADN. La science ne me confirmera jamais qu'il était mon père. Il faudra un jour que Maman me renseigne... »

*

Maman connut une renaissance. Elle regagna ses forces, son énergie, son optimisme, un teint frais, du temps pour elle, du temps pour nous. Loin de virer à la veuve triste, elle resplendissait.

Elle s'éberluait elle-même de son allant, de sa curiosité, de son enjouement, alors qu'elle avait chéri mon père et lui avait voué son existence. Embêtée, elle me fixait avec une mine de fillette prise les doigts dans la confiture.

– J'ai aimé ton père et j'ai accompli mon devoir. J'ai bien droit à une seconde vie, non ?

151

Le devoir de bonheur, encore…

Dans cette seconde vie, sa famille occupa une immense place, et nous avons renoué, elle et moi, avec nos habitudes d'antan – les sorties, les voyages, les séjours aux festivals, les succulentes vacances où nous alternions soleil et ombre pour mieux lire.

Et surtout, nous avons poursuivi le dialogue, sémillant, cocasse, tendre, décomplexé, que nous menions depuis cinquante ans.

Les proches s'étonnaient, en nous ayant laissés dans une pièce à 14 heures, de nous y retrouver à 18 heures, en train de deviser sans avoir bougé.

– Incroyable ! Vous avez toujours quelque chose à vous dire, vous deux ?

Pour toute réponse, nous éclations de rire.

*

Un été récent, j'ai pensé que la fameuse scène de révélation, celle où ma mère m'apprenait le secret de ma naissance, se produisait enfin.

Maman résidait avec nous à la campagne. Elle y appréciait tant ses activités que, une fois la porte passée, elle ne la refranchissait plus durant son séjour. Elle se promenait dans les allées du jardin, taillait les rosiers, jouait avec les chiens, insouciante derrière ces remparts médiévaux qui lui apportaient la retraite qu'elle convoitait. Éprise de lecture, elle glissait une chaise sous le tilleul près de la tour et s'y reposait des heures, vite rejointe par Sa Majesté Fouki, qui aussitôt inversait la situation. Fouki régnait au pied du tilleul, tel le roi Saint Louis sous son chêne, rêvant, dormant, se toilettant, contemplant avec une morgue bonhomme les vils manants qui vaquaient alentour – nous –, tandis que Maman, ravalée au rôle de sa suivante, simple dame de compagnie humaine, veillait à ce que l'impératrice n'ait ni faim, ni soif, ni chaud.

Cet après-midi-là, le soleil tapait si fort que même l'ombre du tilleul les accablait. Maman vint se réfugier dans la fraîcheur des murs épais et s'assit au salon où j'écrivais.

Entre deux thés glacés, nous bavardâmes avec passion, et la conversation nous amena à la jalousie.

– Tu n'es pas jaloux, toi, remarqua-t-elle dans une allusion à ma vie privée.

– Non. Lorsque la jalousie me poignarde, je me déteste et j'essaie de m'en débarrasser. J'y arrive assez bien.

– Cela découle du tempérament.

– Pas seulement. Ça se décide. Je me suis résolu à faire confiance. Me faire confiance. Faire confiance à l'autre.

– D'accord avec toi, mon fils. Ridicule d'en vouloir une vie entière à quelqu'un pour une incartade au fond compréhensible !

– Tout à fait.

Elle sourit et, d'un coup, son visage, déridé, épanoui, afficha une jeune trentaine.

– J'ai trompé ton père une fois.

– Ah oui…, murmurai-je en camouflant mon émotion derrière une mine engageante.

– Oui. Pendant une cure aux thermes de Châtel-Guyon. Avec le médecin. Il était beau. Je n'étais pas mal. Voilà…

Elle reste charmée par cette évocation, ses yeux y plongent ; puis elle revient vers moi.

– C'était très agréable et ça n'avait aucune importance !

– Aucune importance.

Elle s'esclaffe, et continue :

– Ce n'était pas l'opinion de ton père. Oh non !

Elle rit davantage, comme si les colères de mon père représentaient également un excellent souvenir.

– Maman, tu le lui as dit ?

Elle me scrute avec un regard honnête.

– Évidemment.

– Ah !

– Il m'avait trompé une fois, avant, et il me l'avait dit.

– Ah bon ?

– Oui. Peu avant ta naissance.

– Et toi, c'était quand ?

– Je ne sais plus exactement. En 1964 ou 1965.

J'ai failli crier « Après ma naissance ? », mais je me suis retenu. Maman décrit une liaison qui ne me concerne pas. Je respire lentement, je tâche de m'apaiser. Elle poursuit, l'œil dans ses réminiscences, ignorant mon bouleversement intérieur :

– Il m'avait trompée à Copenhague. Lors d'un stage d'ergothérapie au Danemark. Tu parles d'une ergothérapie… Au retour, il m'avait tout avoué.

– Et ?

– J'avais estimé que ça n'avait pas d'importance.

– Bravo !

Un détail du passé me dérange. Je revois mon père qui arborait un air rêveur lorsqu'il évoquait Copenhague, ajoutant, les paupières mi-closes, « la cité de la Petite Sirène », ce qui, à l'époque, ne me paraissait qu'un cliché supplémentaire parmi les milliers qu'il maniait. La petite sirène… Je fronce le front en priant qu'il n'ait pas utilisé l'expression en présence de ma mère.

Je relance l'entretien :

– Tu lui as donc raconté ton « infidélité » ?

– Oui. Eh bien, il ne l'a pas acceptée. Il bisquait ! Il me l'a reprochée toute ma vie. Même sur son lit de mort, il rouspétait encore.

Elle glousse : cette jalousie possessive a revêtu pour elle les couleurs de l'amour.

Nous nous observons. J'attends maintenant une

seconde confession. Celle qui touche l'autre adultère. Celui qui explique ma naissance.

Le silence dure.

Maman se penche vers Fouki qui, les yeux insistants, lui égratigne le mollet.

– Je crois que Sa Majesté Fouki réclame une collation.

Elle se lève pour distribuer des os aux chiens.

La routine campagnarde reprend son cours.

En retournant à mes pages, j'oscille entre la joie d'avoir reçu cette confidence et l'angoisse de n'avoir toujours pas recueilli celle que j'escompte. Je me console en me répétant que Maman a franchi la porte de la réserve absolue. Bientôt, elle me livrera le secret…

*

Je me prépare à entrer en scène. Dans quelques minutes, je jouerai *Monsieur Ibrahim et les fleurs du Coran* devant mille spectateurs.

La loge m'offre le couloir sacré, silencieux, ombreux, où, à l'abri des témoins, s'accomplit la métamorphose qui me permettra de débouler sur les planches débarrassé de ma personnalité, vide de moi, devenu Momo, son père, sa mère ou Monsieur Ibrahim. Dans la glace, se tient le Schmitt ordinaire que les fards doivent effacer ; il me défie, sévère, incrédule, doutant que j'y parvienne. Déjà, la musique de Mozart que j'ai amenée avec moi – le *Quintette avec clarinette* – sanctuarise l'atmosphère, tamisée par les globes d'opaline encadrant le miroir, telles des méduses phosphorescentes au cœur de l'océan. À mesure que j'élimine mes cernes en tapotant un liquide orangé sous mes yeux, un individu sans âge apparaît ; je couvre soigneusement ma peau d'une crème qui l'empêche de luire, l'unifie avec un fond de teint, la matifie puis l'illumine grâce aux diverses poudres, parachevant le maquillage d'un trait brun sur les sourcils. Fini ! Me voici neutre, indistinct, j'ai acquis la texture d'un masque, je me suis transformé en toile sur laquelle, durant la représentation, l'âme du dramaturge pourra dessiner plusieurs visages et des dizaines d'expressions.

Par-dessus moi, je vaporise du parfum avant de me glisser, impavide, au milieu des gouttelettes odorantes, idole qui se nourrit de fumets.

Encore vingt minutes…

Je complète mes exercices de diction, entamés deux heures plus tôt, afin de me doter d'une voix sonore et de consonnes aiguisées. Ces exercices-là m'amusent, car, tout en actionnant méthodiquement les muscles du souffle et de l'articulation, je songe que, si j'aboutis, personne ne soupçonnera mon labeur. Le travail dissimulera le travail. Je m'y efforce maintenant, j'y réussirai peut-être, mais il faudra recommencer demain. L'art de

157

la scène demeure fort et fragile, sublime et ridicule, intense et éphémère... Comme la vie.

Ouf, après vérification, ma voix sonne avantageusement, timbrée, nette, tonique... Je m'assois quelques instants.

En loge, dans ces limbes qui séparent la réalité de l'imaginaire, pas de tristesse. Pendant que l'acteur s'habille, je dialogue avec Maman : « Tu vois, j'y arrive ! Tu m'as amené au théâtre, ton église, tu m'y as initié, et j'ai poursuivi le chemin. En quelques décennies, j'ai parcouru la route qui conduit du spectateur à l'auteur, puis de l'auteur au comédien. Poussé par toi, je suis allé au bout de l'incarnation. Ce soir, je tâcherai d'être à la hauteur. Confiance ! »

Dans cet espace où tant de fantômes – les personnages – prennent vie, Maman existe aussi. Naturelle, à l'aise, elle vaque, range, sourit, s'amuse, s'étonne, rectifie une ombre sous mon menton. Ici, je ne l'ai pas perdue ; elle veille sur moi, comme ces semaines où j'interprétais *Monsieur Ibrahim* au Festival d'Avignon, tandis que, en coulisses, elle jouait mon habilleuse.

Le trac m'étreint.

– Pourquoi est-ce que je m'oblige à ça ? lui demandé-je.

– Toi seul le sais, mon fils. En revanche, moi je sais que tu le fais bien.

– J'ai peur !

– Tu adores avoir peur.

– C'est vrai…

– Tu arrêteras tout lorsque tu n'auras plus peur.

– Encore plus vrai !

– Je te laisse donc mariner dans ta panique.

Derrière la porte fermée, Christophe, l'administrateur de tournée, m'annonce que le spectacle démarre dans dix minutes. Maman file se chercher un fauteuil dans la salle.

Sur mon téléphone s'affichent les messages de mes proches pour me souhaiter une soirée triomphale. Voici, je me jette dans les flammes…

*

Chaque représentation comme un bonheur arraché au malheur.

Chaque représentation comme une éternité volée au temps.

Chaque représentation comme l'enfance retrouvée.

*

Je me produis de plus en plus sur scène. Est-ce une solution que d'ériger la diversion en méthode ?

*

L'écriture revient dans ma vie. Durant cette tournée de *Monsieur Ibrahim*, j'entame la rédaction d'un récit, *Madame Pylinska et le secret de Chopin*.

Sous prétexte de me documenter, je passe des heures à écouter la musique de Chopin. Alors que je plane, rêve, frémis, m'émeus, m'emballe, je soutiens aux autres et à moi que je travaille.

En même temps, de quoi l'inspiration est-elle faite ?

*

J'ai beau rédiger des fictions, elles me racontent. En lisant les phrases que ma plume a tracées à vingt-deux ans d'écart, je souris :

« – Quel est le secret de Chopin ?

– Il y a des secrets qu'il ne faut pas percer, mais fréquenter. » (*Madame Pylinska et le secret de Chopin*)

« Ce qu'il y a de beau dans un mystère, c'est le secret qu'il contient et non la vérité qu'il cache. » (*Variations énigmatiques*)

Cet amour de la question, cette passion de l'indécis, cette proximité avec le mystère, ce flirt avec la vérité qui ne va pas jusqu'à la consommation, cela se manifeste dans mes livres, mais sort de ma vie. Au fil des décennies, j'ai attendu que Maman me révélât l'énigme de ma naissance et pourtant, je n'ai rien entrepris pour obtenir l'information.

L'ambiguïté m'offre un champ de rêve, de liberté.

L'incertitude, loin de me peser, m'allège.

*

Tout savoir sur moi ne m'a jamais mobilisé.

Grand partisan des psychothérapies, j'encourage mes amis quand ils entament une psychanalyse, je leur prête une oreille attentive, commente les effets de la cure, approuve leurs progrès, convaincu.

– Et toi ? finissent-ils par dire.

– Moi ? Je ne veux pas modifier l'équilibre ou le déséquilibre qui me permet d'exister.

– Pardon ?

– Depuis plusieurs décennies, je me montre dynamique et prolifique. Peut-être cette force vient-elle de l'ignorance, plutôt que de la connaissance de soi... Si j'apprenais pourquoi j'écris, écrirais-je encore ?

– Tu choisis ta fécondité au lieu de ton bonheur ?

Je ne livrerai pas les clés de mon être à un psychanalyste, ni même à moi. Qu'en ferais-je alors ? Quelle porte ouvriraient-elles ?

Celle de la sérénité sans doute...

Or la sérénité ne constitue pas mon aspiration suprême, je préfère agir, créer, vagabonder, entreprendre.

Je tiens à ce que ma méconnaissance de moi nourrisse ma vie et mon œuvre.

*

Irai-je un jour voir les Ricklin ?
En éprouverai-je la nécessité ?

*

J'aime les tournées théâtrales, chaque instant relève de l'inédit. Parcourir des kilomètres, entrer dans une ville inconnue, y chercher aussitôt le théâtre comme le voyageur assoiffé cherche la fontaine, saluer les administratifs et les techniciens en s'estimant plus nomade que jamais, prendre possession d'une loge, découvrir une scène forcément différente de celle qu'on a foulée la veille et de celle qu'on utilisera le lendemain, l'arpenter, trouver ses repères, lancer sa voix à travers la salle, apprivoiser l'acoustique, expérimenter sur sa peau les lumières successives du spectacle.

J'aime les théâtres, tous les théâtres, les moches, les mignons, les somptueux, les colossaux, les intimes,

les baroques, les jansénistes, les coquets, les poussié-
reux, les refaits, les à refaire, les ni faits ni à faire.

Leur géographie, intérieure ou extérieure, a changé
au cours des siècles.

Le théâtre du passé se dresse au centre de la ville, tel
un fleuron ; situé parmi les boutiques prospères, il participe au luxe et à l'activité de la cité, voisin des bars, des
restaurants, flambeau de la vie nocturne. Les théâtres
actuels échouent souvent à la ceinture des villes, bordés
d'un pragmatique parking.

Dans le théâtre du passé, la salle est fastueuse, les
coulisses misérables. Elle fut conçue pour l'enchante-
ment des spectateurs. Qui pourrait croire, lorsqu'il se
prélasse sous les dorures, la fresque d'un plafond, le
cristal délirant du lustre, parmi les stucs peints, les sculp-
tures, les tentures diaprées, qu'au-delà de la scène miroi-
tante se tapissent des loges étriquées, aux planchers
défoncés, aux crépis charbonneux, sans eau, remplies
d'odeurs insalubres ? Les comédiens, ces prolétaires du
merveilleux, ces mineurs du songe, séjournent longtemps dans une grotte avant de rejoindre le public en
lumière. Ils connaissent l'ascèse avant l'apothéose.

En revanche, les théâtres contemporains fournissent
souvent une salle neutre, peu attrayante, sombre, au
minimalisme fonctionnel, tandis qu'ils procurent des
coulisses pharaoniques – loges opulentes, claires,

colorées, proches du studio voire du loft, servies avec chaises, fauteuils, banquettes, lits, toilettes et douche. D'hier à aujourd'hui, les comédiens se sont embourgeoisés : délestés du statut de parias, ils gagnent mieux leur pain.

Ai-je une préférence ? Si je reste un amant tout-terrain des théâtres, je sens davantage l'envie de monter sur scène après m'être apprêté dans la soute, étouffant entre les murs crapoteux d'un placard carbonisé. À l'ivresse de raconter une histoire s'ajoute le bonheur de troquer la laideur contre la beauté, l'exiguïté contre l'espace, la pénombre contre l'arc-en-ciel. Quel meilleur tremplin que ces lieux obscurs, incertains et poudreux pour passer de la réalité au rêve ?

Cette tournée de *Monsieur Ibrahim* me retient de sombrer dans la déprime. Chaque matin, je sais pourquoi je me lève : la représentation du soir.

*

Premier Noël sans Maman depuis cinquante-huit ans.

Ma sœur, Alain, Stéphane, Thibaut nous ont retrouvés à la campagne, tant nous désirons traverser ces jours ensemble.

Le décor est là, planté – arbres, guirlandes, cadeaux – mais, je le perçois depuis les coulisses, privé de sa magie :

le sapin agonise, le doré des boules n'est pas d'or, les étoiles consomment de l'électricité. De surcroît, Florence et moi n'arrivons pas à jouer la pièce. Nous disons le texte comme de piètres figurants, l'action languit.

J'aime passionnément regarder le visage de Florence. À la tendresse que j'éprouve pour ma sœur s'ajoute le bouleversement d'entrevoir Maman.

*

Vente de l'appartement, estimation des biens, succession réglée.

Nous héritons, Florence et moi, d'une somme d'argent, laquelle me laisse désemparé, avec un goût amer d'absurde et d'inachevé.

– Tu vas pouvoir t'accorder un cadeau original ! me dit Yann. Quelque chose qui aurait du sens pour toi.

Le seul cadeau auquel je songe, en cette période de Noël, n'adviendra pas. Même en glissant une valise de billets au passeur, on ne fait pas revenir une morte parmi les vivants.

*

Une nouvelle solitude succède aux fêtes, la solitude de janvier.

Il faudrait un printemps et je m'enfonce dans l'hiver.

*

Je ne rêve plus.
Ou j'en perds la mémoire.

*

– Et ton devoir de bonheur, Éric ? Allons, un peu de discipline !

*

Attendez que ma joie revienne.
Si j'écrivais un livre sur le deuil, je l'appellerais ainsi.

*

J'achève *Madame Pylinska et le secret de Chopin*, le récit d'une initiation à la musique qui se révèle une initiation à la vie.
Curieux comme les forces positives nourrissent mes livres au lieu d'alimenter mon existence. Je rédige un conte joyeux, lumineux, même s'il renferme des ombres, et mon quotidien reste opaque, dépourvu de vitalité.

Le meilleur de moi n'est plus disponible pour moi, seulement pour mes lecteurs.

*

Sa Majesté Fouki se lave religieusement. La jambe en l'air, la langue appliquée, elle prépare sa réapparition en haut de l'escalier, car elle doit à son rang impérial d'arriver parfaite, sensationnelle, époustouflante.

Elle vieillit. S'apprêter lui prend davantage de temps qu'avant...

Parfois, j'aperçois un clignement de paupières qui signifie : « Terrible de poser la barre si haut ! »

Maman se comportait ainsi. Elle se levait plus tard, mettait une heure à nous rejoindre, mais ne supportait pas le négligé.

Je me rends compte que je me laisse aller.

*

– Tu vas être grand-père.

Je doute d'avoir bien entendu et demeure stupide, bouche bée, souffle suspendu.

– Tu vas être grand-père.

J'ai donc bien entendu. Une vague de plaisir me

submerge : Colombe, l'aînée de mes trois belles-filles, attend un enfant.

*

Depuis hier, cette nouvelle génère un travail alchimique en moi. Je change, je me remplis, le sang circule, des bouffées de joie me soulèvent la poitrine.

Heurté par la mort de Maman, je me résolvais à un avenir qui n'offrirait plus qu'une succession de décès. L'automne ne conduisait qu'à un hiver définitif. Et voilà que Colombe m'annonce le printemps.

Et comme je suis sensible à sa sollicitude, ne pas dire «Je vais avoir un enfant», mais «Tu vas être grand-père», transformant cet événement majeur pour elle en cadeau pour moi.

Dans tout le corps, du crâne aux pieds, des fourmis de bonheur me chatouillent ! Cette naissance m'apporte la renaissance.

*

Colombe et Maman avaient noué une authentique relation, chacune se réjouissait toujours de passer un moment avec l'autre. Elles s'étaient probablement

JOURNAL D'UN AMOUR PERDU

reconnu une force commune, ce que me confirma un soir Colombe en me lançant :

– Ta mère est une guerrière. Comme moi.

On se gausserait, en voyant cette jeune femme déli-cate, mince, gracieuse, aux attaches si fines qu'elle est parfois contrainte d'acheter ses vêtements au rayon des adolescentes, se considérer comme une guerrière. Pour-tant, elle lutte et gagne depuis son premier battement de cœur.

Une maladie rare affecte Colombe, la mucoviscidose. Provoquée par des mutations génétiques, cette malforma-tion augmente la viscosité du mucus, son accumula-tion dans les poumons, voire dans les voies digestives. Enrouement, toux, crachats, bronchites emplirent le quo-tidien de Colombe durant son enfance, puis l'inflamma-tion chronique et la surinfection bactérienne ne cessèrent de croître, engendrant des difficultés respiratoires. Malgré ces gênes, encadrée par une famille hautement mobilisée, Colombe a pratiqué la gymnastique, le trapèze, et mené des études solides qui ont fait d'elle une juge aux affaires familiales. Bien qu'elle s'enferme dans sa chambre plus d'une heure par jour pour une séance de kinésithérapie respiratoire, et même si elle subit de sempiternelles cures d'antibiotiques à haute dose, elle avance avec force, déter-mination, évidence. Elle possède une présence éclatante, due au paradoxe qu'elle représente : une âme sage dans un corps neuf. Son visage a vingt ans, son sourire en a mille. Elle sait la fragilité de l'existence, elle n'ignore pas la mort qui rôde. Depuis ses études de droit, elle vit avec Tancrède, aussi grand qu'elle est menue, un médecin séduisant, original, curieux des arts et du théâtre.

Qu'elle tombe enceinte me surprend. Certes, elle nous avait affirmé son désir de fonder une famille, mais deux obstacles se dressaient : Tancrède, quoique follement amoureux – ou parce que follement amoureux –, ne semblait guère pressé ; sa maladie rend une grossesse épineuse, voire dangereuse. Or les deux verrous viennent de sauter : Tancrède se sent prêt, l'hôpital Cochin autorise l'aventure.

Yann, qui dirige une importante ONG de santé en Europe, ne participe pas à notre liesse. Il s'inquiète.

*

Ça suffit ! Je décide de lutter contre l'amollissement, le relâchement, l'aquoibonisme.

J'ai pris une batterie de rendez-vous : je veux soigner cette jambe.

*

Dîner à Paris avec Colombe et Tancrède. Ils respirent le bonheur d'une façon contagieuse.

Dans un restaurant asiatique au décor colonial, vestige défraîchi de l'Indochine française, Tancrède engloutit les plats avec un appétit d'ogre inhabituel.

De son côté, Colombe, nauséeuse, touche à peine à son assiette. Se résout-il à manger pour deux, voire pour trois ?

*

Opération de la jambe dans une semaine. Hâte !
Maman, ou le souvenir de Maman, approuve.

*

Je débarque dans la pièce. Sa Majesté Fouki lève une tête hors de ses coussins duveteux, déconfite, la prunelle vitreuse. Lorsqu'elle me reconnaît, ses yeux brasillent : elle m'accepte avec bienveillance dans son palais. Elle me dévisage encore quelques secondes pour s'assurer que je vais me calmer, m'allonger pour lire, m'asseoir pour écrire, bref, ne plus la déranger, puis elle se rendort : elle a des rêves cruciaux à finir !

Je travaille un texte.

Soudain une présence me brûle.

Fouki me fixe, comme un chat fixe une proie. Pas pour me gober, pour me donner ses ordres. Sa Majesté exige que je lui serve un bout de jambon. Nous descendons à la cuisine.

Ses enfants, eux, mendient des bâtons à mâchonner. Elle les observe, « Ah oui, vous aimez ça… quelle drôle d'idée ». Daphné et Lulu s'emparent prestement des bâtons alimentaires que je leur tends, s'installent dans le salon pour les croquer, tandis que Fouki me toise, d'abord sceptique ; elle daigne saisir lentement, délicatement, un bâton entre ses dents, à regret, l'air de dire : « Si ça te fait plaisir… »

Quelques instants plus tard, planqué contre la porte entrouverte, je la vois déchiqueter le bâton à pleines molaires, ravie, le regard chatoyant. Je surgis, elle s'arrête, la face décontenancée, et réfléchit : « Il m'a pincée en train de me régaler, comment je m'en tire ? » Elle se résout à m'ignorer et continue à dévorer le bâton, ce qui signifie : « Tu n'existes pas. »

Une fois encore, Sa Majesté fourrée m'administre une leçon de vie : ni bonheur ni santé sans une large dose d'égoïsme.

*

L'opération s'est déroulée ce matin. Gentillesse confondante du corps médical, des médecins aux aides-soignants en passant par les infirmières.

Soigner, c'est prendre soin de... Je ne l'ai jamais autant senti qu'aujourd'hui.

*

Alors que je descends juste de la table chirurgicale, j'enregistre pendant deux jours, sous les caméras, une « master class » consacrée à l'écriture. Ces cours ont été voulus et organisés par une équipe de femmes aussi fringantes que vaillantes. Leur énergie m'a plu.

Parler de ma passion avec passion devant des femmes passionnées me comble.

Et si je guérissais ? Non de ma jambe, mais de ma langueur.

*

Colombe ne grossit pas, malgré sa grossesse. Non seulement les nausées réduisent son appétit, mais elle régurgite presque tous ses repas. Et la présence du fœtus en son ventre accentue ses difficultés respiratoires.

– Pas de souci, nous dit-elle. Je reviens de l'hôpital. Si moi je vais mal, le petit va très bien. Il faut juste que je tienne.

Elle retrouve courage en dissociant le bébé d'elle-même. Sa gestation a deux faces, une aisée, une pénible.

En mère authentique, elle s'occupe déjà de l'enfant et endure des souffrances pour lui. Elle est prête !

*

Quand un enfant vient au monde, une mère aussi vient au monde.

Chaque naissance est une double naissance.

*

Coup de folie : le Festival du livre de Nice propose que je l'ouvre en créant *Madame Pylinska et le secret de Chopin*, version scénique, pour un comédien et un pianiste. Naturellement, je prendrai le rôle du comédien, Nicolas Stavy celui du pianiste.

Bruno s'alarme :

– Auras-tu le temps ? Tu dois remanier le texte, le mémoriser, choisir les pièces musicales, répéter avec le metteur en scène. Et tout ça en plus de tes voyages à l'étranger pour les livres et ta tournée de *Monsieur Ibrahim*.

– Non, je n'aurai pas le temps ; c'est justement pour cela que je le ferai.

*

Parfois, je me persuade que je dirige le temps plutôt que je ne le subis. Mon volontarisme produit cette illusion.

Le temps passe, disent les fatalistes. Pas devant moi sans que je m'en rende compte. Pas malgré moi tandis que je peux le remplir.

– Tu charges trop la barque, maugrée Bruno.

– Oui, mais j'ai failli la rater.

Il sourit. Il sent en effet que je vais un peu mieux.

*

J'apprends mon texte, je le ressasse, je me redresse.

*

Colombe séjourne une semaine à la campagne. Nous avons reçu la mission de l'alimenter en lui mijotant ses plats favoris, car elle a perdu cinq kilos depuis le début de sa grossesse.

Malgré l'enthousiasme avec lequel nous accomplissons notre tâche, le pessimisme rôde. Tancrède avance son retour de Los Angeles. Colombe ne garde pas la nourriture, respirant si mal qu'elle ne bouge presque plus.

Cet après-midi, elle tapotait son ventre et murmurait à l'enfant :

– Toi, tu pourras dire que tu as été désiré !

*

Aujourd'hui, comme chaque jour, une mère meurt et il y a un peu moins d'amour sur terre.

Aujourd'hui, comme chaque jour, un enfant naît et il y a beaucoup plus d'amour sur terre.

*

Fouki, Sa Majesté fourrée, dort vingt heures sur vingt-quatre. Effet de l'âge, sans doute, car l'impératrice japonaise dépasse les seize ans, ce qui la rend plus que centenaire à l'échelle humaine.

En revanche, quand elle se montre enfin parmi nous, on ne remarque plus qu'elle dans la pièce.

Chaque fois, Daphné et Lulu piaffent, l'accueillent, la fêtent. Discrètement, elle leur accorde un coup de truffe affectueux. « Oui, je sais : vous êtes contents de m'approcher, c'est normal. »

*

Après ton départ, je chuchotais le matin : « Un jour que tu ne verras pas. »

Un deuxième... Un troisième...

Nous approchons de notre lugubre anniversaire. Maintenant, je ne compte plus.

*

Dans la nuit, une voiture a emporté Colombe et Tancrède jusqu'à Paris. Elle ne parvient plus à respirer. On l'hospitalise à Cochin.

*

Nous tournons en rond, chaque heure, chaque jour, chaque nuit, attendant des nouvelles de Colombe. Quand nous les recevons, elles nous désespèrent. Pas moyen de revigorer ses poumons malgré l'assistance respiratoire. Pas moyen de la sustenter. Elle perd encore du poids. On la transfère en soins intensifs.

Parallèlement, les problèmes se multiplient au théâtre Rive Gauche. Devant ces insécurités, Bruno a lutté d'abord, puis, l'angoisse montant en lui, il a craqué. Incapable d'affronter autant de drames, il s'isole dans un discours obsessionnel, n'écoute plus personne, transpire de détresse.

De surcroît, je m'envole bientôt pour le Canada, où

j'ai accepté, après trois ans de rendez-vous différés, de présider le Salon du livre à Québec.

Que faire ?

« Mets-toi toujours du côté de la vie », disait ma mère.

*

Après avoir bouclé mes valises, je contemple Fouki, Sa Majesté fourrée, dont le vieillissement s'accélère ces derniers temps. Elle qui sautait de son lit fraîche, pimpante, manucurée, le poil lissé, on doit maintenant la réveiller, secouer sa couche dont elle n'émerge que hirsute, vaseuse, ankylosée, retrouvant sa superbe seulement en milieu de journée.

Je m'agenouille, je la câline et je lui glisse à l'oreille :

– Tiens le coup, ma Fouki ! Surtout, ne meurs pas ! Je n'aurais pas la force.

Ses yeux acajou me considèrent gravement.

*

Colombe inscrite sur le registre national des personnes à greffer en urgence. Selon les médecins, la seule solution consiste à lui enlever ses poumons et à en installer d'autres.

Or, pour qu'on puisse l'opérer, à supposer qu'un greffon surgisse, elle doit en avoir fini avec sa grossesse.

Elle l'a compris et, depuis deux semaines, sanglote en disant adieu à l'enfant qu'elle portait.

*

On pense moins à la mort quand on se bat concrètement pour la vie.

En ce moment, je ne multiplie pas les réflexions philosophiques sur la précarité existentielle, sur l'insupportable condition humaine, sur l'absurdité de notre destin. La vie, je ne l'interroge plus, je la veux. Pour Colombe.

La vie, rien que la vie ! Je frapperais tout individu qui, blasé, dandy, poseur, la déprécierait. Heureusement que Cioran et les autres abstracteurs de cet acabit, ceux qui cultivent la plainte narcissique, ne traversent pas ce Salon du livre, car mes rixes auraient nourri les faits divers.

*

Colombe a accouché sous hypnose. Tancrède lui a tenu la main. L'enfant de quatre mois et demi est décédé ; il semblait en parfaite santé.

Et elle ?

*

Je suis à l'unisson de la nature québécoise qui m'environne, gris, livide, ni une saison, ni une entre-saison, plutôt un néant de saison. Loin de l'hiver, je me réduis à des amas de neige sale, noire, pisseuse. Les arbres nus, tortueux, torturés, qui exhibent des bubons, plutôt que des bourgeons, confirment que la vie s'apparente à une longue maladie.

À Québec, je me sens durement loin de ce qui me préoccupe. Malgré le téléphone, à cause du décalage horaire, je mesure la distance et mon isolement.

*

Les poumons de Colombe se sont arrêtés.

Une machine tire le sang de son aine, le filtre, en ôte le carbone, y ajoute de l'oxygène et l'introduit de nouveau dans son corps.

*

Colombe attend soit un greffon, soit la mort.

La connaissant, je sais que, même droguée, même exténuée, elle en est consciente. Il paraît que parfois elle parle, sourit, plaisante.

*

Les chemins tortueux de l'acceptable et de l'inacceptable…

Il y a quelques mois, nous n'envisagions pas que Colombe subisse une greffe, ou alors dans un avenir très lointain.

Aujourd'hui, nous le souhaitons ardemment, terrorisés à l'idée que cela n'arrive pas. Ce que nous refusions, nous le désirons de toutes nos forces. L'ancien présage de mort est devenu l'ultime promesse de vie.

*

Il faut une mort pour sauver cette vie.

*

Lorsque je propose de rentrer du Canada d'urgence, on me retient : inutile, les visites ne sont pas autorisées, sauf pour la mère, le père et le fiancé.

*

181

Yann m'annonce ce matin qu'un greffon arrive à l'hôpital Foch. Colombe sera opérée dans les heures qui suivent.

Espoir ou panique ? Mon cœur bat trop vite.

*

Je ne dors pas. Je regarde le plafond. J'attends.

À six mille kilomètres de ma chambre d'hôtel, on opère Colombe.

Et puis soudain je me jette à terre et je prie. Je prie avec violence, avec intensité, avec l'exigence que ma prière soit entendue.

Puis je me recouche.

Puis je recommence.

Toute la nuit se passe ainsi.

*

Je consulte mon téléphone depuis des heures. Il est mort. Son silence m'angoisse. On n'ose pas me dire la vérité.

Alors que je me trouve dans l'ascenseur, Yann m'appelle et m'annonce que l'opération s'est très bien déroulée.

Je m'effondre. Autant de joie que d'épuisement.

*

Colombe semble sauvée. À fleur de peau, j'ai besoin d'en parler. Si j'ai tu mon angoisse, je ne parviens pas à dissimuler mon euphorie. Fébrile, disert, je narre cette odyssée à mes compagnons de voyage. Quelle puissance dégage leur écoute ! Leurs yeux attentifs me redonnent de la force tandis que mon récit m'oblige à mettre de l'ordre dans mes idées éparpillées.

*

– La guerrière a vaincu.
Je l'apprends à Maman, comme si elle se trouvait là, à côté de moi.

*

Retour à Paris.
Colombe repose dans un lit trop ample pour elle, faible mais vivante, décharnée mais joyeuse, dépourvue de muscles mais dotée de poumons. Ravie, elle nous montre comment elle inspire et expire profondément sans tousser, une manœuvre que nous réussissons tous des milliers de fois par jour et qui, pour elle, tient de la

nouveauté. Miracle du souffle pur. Elle s'émerveille de ce dont nous n'avons plus conscience.

– Vous vous rendez compte ? s'exclame-t-elle. Plus besoin de kiné ! Je gagne une heure et demie par jour. Je vais pouvoir travailler à plein temps !

Nous sourions, bouleversés. N'était cette rage de normalité, elle nous aurait quittés depuis longtemps.

Si quelqu'un s'exerce au devoir de bonheur que prescrivait Maman, c'est elle.

*

Les guerrières du bonheur s'étaient bien reconnues.

*

J'aime la vie d'un amour renforcé par la peur de la perdre.

*

Séquence bruxelloise, la nuit, le long des carrés d'herbe qui longent l'avenue.

– Quel âge a-t-elle, votre chienne ? Je vous ai toujours vu avec elle.

– Seize ans et demi.

Les compliments pleuvent sur Sa Majesté du Japon, laquelle se moque de ce que racontent ces êtres inférieurs ; veillant aux affaires de l'empire, elle est accaparée par un pissenlit qui a reçu la visite urinaire d'un animal qu'elle peine à identifier.

Lorsque les promeneurs s'éloignent, je me penche vers elle.

– Tiens bon, ma Fouki. J'ai besoin de toi.

Elle soupire. Elle me plaint de ne pas avoir compris qu'elle est éternelle.

*

Tournée américaine de *Monsieur Ibrahim*. New York, San Francisco, Los Angeles. Chaque soir, en sortant de scène, ému par l'accueil, j'ai le réflexe d'appeler Maman, puis je balance le téléphone dans ma valise.

À l'abri de la loge, avant que je ne rejoigne la réception, les larmes coulent, longues, évidentes, presque paisibles. Je demeure un garçonnet qui veut épater la mère qu'il aime.

Douleur et plaisir se mêlent. Douleur, car Maman me manque. Plaisir, car elle m'a fait, dans toutes les acceptions du terme. La voilà présente, pas seulement sous la forme de son absence, mais en moi, par moi.

Elle fut pour moi. Je suis pour elle.

Pas le droit de geindre. Pas de chagrin.

Il y a désormais davantage de joie que de tristesse dans mes pleurs.

*

Retour à la campagne, à la vie simple ou à la simple vie.

Une bande de soleil qui traverse le salon, droite et blanche depuis les stores baissés, truffée de pollens vivants qui valsent et virevoltent, suffit à m'occuper.

*

Bêtise de la tristesse : elle ne signale que ce qui nous manque. Doigt pointé sur l'absence, elle indique ce qui n'est plus. Une obsédée du néant.

Intelligence de la joie : elle nous désigne ce qui est. Les yeux ouverts, elle s'étonne d'être et d'avoir ce qu'elle a. Une émerveillée.

Pour la tristesse, le monde est vide ; pour la joie, il est plein.

Tristesse, une sale gosse qui dénigre.

Joie, une fillette qui admire.

Tristesse, la grimace qui nie.

Joie, le sourire qui célèbre.

*

Le pessimisme se borne à une systématisation de la tristesse, l'optimisme à celle de la joie. Ni l'un ni l'autre n'énonce une vérité, ils aménagent l'existence. Le premier rajoute de l'inconfort, le second l'atténue.

*

Fouki fatigue en ce moment. Elle traverse ses journées en somnambule, peu certaine de ce qu'elle entreprend.

*

Dernières séances de travail pour *Madame Pylinska et le secret de Chopin*.

Après l'ultime filage, Yann m'a étrillé :

– Tout est bien, sauf toi ! Tu n'es pas au niveau des autres. Et tu n'es pas au niveau de toi-même.

J'ai protesté, rappelant que j'avais larmoyé au moment où Nicolas avait frappé les accords de la *Marche funèbre* – j'avais pensé à Maman. Vertige de la mauvaise foi : je sais pertinemment qu'au théâtre, il ne faut pas pleurer mais faire pleurer, pas rire mais faire rire, pas éprouver mais faire éprouver. Mille fois, j'ai pourfendu ceux que j'appelle « les comédiens au premier degré », ceux qui ressentent en eux des choses fortes que le spectateur, lui, ne ressent pas !

– Trois semaines encore avant Nice ? Travaille, Éric, travaille. Ne te repose pas sur tes facilités.

J'ai redressé la tête, piqué au vif. Cette phrase, ma mère me l'avait servie régulièrement à l'issue d'entretiens avec mes professeurs. « Si votre fils obtient un excellent bulletin, il nous déçoit. Comme il parvient à retenir plusieurs pages dans le couloir avant le cours et qu'il écrit bien, il décroche de bonnes notes à l'arraché, au dernier moment, sans construire. » Maman se penchait alors vers moi. « Ne te repose pas sur tes facilités, mon fils. »

Elle employait l'expression « mon fils » dès qu'elle aspirait à solenniser notre discussion, afin de me responsabiliser. Elle visait juste : à mes yeux, Éric-Emmanuel pouvait ronronner, pas « le fils de Jeannine ». Le fils de Jeannine devait se hisser à la hauteur de ses attentes, le fils de Jeannine devait mériter cette mère merveilleuse.

*

Grâce à Yann, à sa dureté lucide, j'ai beaucoup travaillé ces derniers jours. Je crois avoir passé une étape : non seulement je possède le texte, mais le texte me possède. Voilà qu'il parle et vit tout seul en moi ; j'en deviens l'instrument docile.

Vite, préparons la trousse, la housse et la frimousse : en route pour le théâtre !

*

Théâtre national de Nice.

La première la plus cauchemardesque et la plus rassurante de ma vie. Quoique privé de ses splendides lumières et de quelques plaisantes idées de mise en scène à cause de problèmes techniques, le spectacle a franchi la rampe et enchanté le public.

Je regagne ma loge. Lorsque, démaquillé, je récupère mon apparence, je devine dans le miroir le visage de Maman sous le mien, interloqué, mélancolique... Mon entrain lui inflige une infidélité.

Incapable de me contrôler, je fonds en larmes.

Apprendre. Accepter.

Apprendre à avancer sans elle, à voyager sans elle, à écrire des livres qu'elle ne lira pas, à créer des spectacles qu'elle ne verra pas, à recevoir des prix sans, tel l'enfant lyonnais, courir aussitôt vers elle pour guetter la fierté qui va inonder ses traits. Accepter de ne plus vivre deux fois, comme avant, une fois pour moi, une fois pour elle, pour le lui raconter.

Apprivoiser son absence. Toujours. Et pour toujours.

*

Nous revenons en hâte du Festival d'Avignon : un accident vasculaire cérébral a frappé Fouki au cours d'une promenade. Paralysée, elle endure le calvaire et le vétérinaire, désireux de l'euthanasier, l'a droguée le temps que nous rentrions en Belgique.

Ses gémissements changent lorsqu'elle nous aperçoit, depuis la cage où elle est allongée sur le flanc ; contente, elle se rassure, elle espère : « Ils sont là, je n'aurai bientôt plus mal. » Nous ouvrons la porte et la caressons. Elle a perdu sa majesté ordinaire, elle se réduit à une petite chienne qui souffre mais se réjouit en glapissant de retrouver sa famille.

Je la presse contre moi. Malgré sa force mentale, son caractère d'acier, elle n'a pu résister au temps qui use et qui détruit. Sa plainte exhale la douleur autant que le scandale : « Qu'est-ce qui m'arrive ? C'est intolérable. »

Le vétérinaire l'endort lentement pendant que nous lui témoignons notre tendresse.

Et soudain, la vie s'envole.

Fini.

Cette boule d'énergie et de volupté n'existe plus. Ne demeure qu'une somptueuse fourrure inerte.

JOURNAL D'UN AMOUR PERDU

Ce fut aussi violent que silencieux.
Nous sommes bouleversés.
Je sens que je vais rechuter…

*

En une seconde, une vie de seize ans est partie. Seize ans d'affection inconditionnelle. Seize ans de beauté. Seize ans de grâce absolue. Seize ans de joies, de fêtes, de jeux. Seize ans de règne sur mon cœur et celui de notre famille, dont ses propres enfants, Daphné et Lulu, qui aujourd'hui la cherchent partout.

Dans quelques jours, elle reviendra à la maison et nous disperserons ses cendres dans le jardin, autour du tilleul où, à côté de Maman, elle adorait piquer une sieste ; elle se mêlera aux rosiers, aux herbes, aux massifs, aux bosquets ; elle séjournera parmi nous et refleurira chaque année.

Frangible, si frangible, le fil d'une vie…

Je sais qu'elle a connu le bonheur et je tente de maintenir ces images de félicité dans mon esprit. Plutôt se réjouir de ce qui a été que de regretter ce qui n'est plus.

Un petit être de douze kilos est parti.

– Voyons, il ne s'agit que d'un chien ! Et ce n'est pas lourd, douze kilos !

Douze kilos d'amour ? Si, c'est lourd. Très lourd.

Et cela pèse plus d'une tonne lorsque cela s'en va.

*

Les animaux tirent le meilleur de nous.
Devant Fouki, j'ai été tendre, loyal, enjoué, aimant,
patient, responsable.
Si elle a eu une belle vie de chien auprès de moi, j'ai
eu une belle vie d'homme à ses côtés.

*

Grâce à une chienne, je me suis émerveillé tous les
matins d'exister, j'ai accueilli chaque jour comme un
cadeau, j'ai marché, j'ai couru, j'ai joué, j'ai observé la
nature et les saisons, j'ai dormi avec volupté, j'ai travaillé dans la paix, j'ai goûté le quotidien sans lassitude,
je me suis forcé à exalter mes sentiments.
Ma professeure de bonheur est partie. Comment
ferai-je, Maman, pour accomplir mon devoir de bonheur ?

*

Fouki a rouvert nos blessures. Sa mort ne se réduit
pas à sa mort, elle fournit une métaphore des autres.
Ici, chacun de nous a perdu une deuxième fois ses dis-

parus. Nous errons dans la maison, gênés de nous croi-
ser avec les yeux rouges.

Sa fille, Daphné, sombre dans la déprime. Après s'être
attendue à retrouver sa mère dès que nous poussions une
porte, elle me désigne du museau les coussins, tapis, buis-
sons où Fouki s'allongeait. J'ignore comment lui expliquer
ce qui s'est passé, ou ce qui ne se passera plus… Quant à
Lulu, il multiplie les maladies. Diarrhées, eczéma, infec-
tion de plaies, il essaie tout pour expulser soit sa peine,
soit son incompréhension. Et maintenant, il boite… Les
deux vivaient depuis douze ans avec leur mère.

Nous, les humains, nous nous concentrons sur la
bonne nouvelle : Colombe tolère sa greffe et quittera
bientôt l'hôpital.

*

De temps en temps, nous nous observons et nous
disons :

– Vous rendez-vous compte ? Nous aurions dû pleurer Colombe cet été, or elle va bien. Très bien.

Comme notre joie est lente… Elle n'explose pas.
Elle porte encore l'inquiétude sur son dos. Nous aussi,
nous nous remettons des quatre mois de combat en
soins intensifs.

En fait, nous entamons une démarche insolite : le

deuil du deuil. À trop songer que nous risquions de perdre Colombe, nous avions admis cette possibilité au plus profond de nous... Il faut nous en débarrasser.

*

Nohant, représentation de *Madame Pylinska et le secret de Chopin* dans la propriété où le compositeur habita avec George Sand.

Ce domaine champêtre et serein propose un festival dans l'ancienne bergerie qui flanque le manoir.

Il fait 38 degrés dehors, plus encore dans la salle qui n'est pas climatisée, et davantage sur l'étroite scène où convergent les projecteurs. Comme je maudis cette fausse fourrure que je revêts pour incarner Madame Pylinska ! Qui met un vison dans un sauna ?

Le public se montre aussitôt captif et nous oublions, lui comme nous, l'étuve estivale.

À un moment, Nicolas dilate bizarrement son tempo dans la *Première Ballade* ; en jetant un œil vers lui, je le découvre au bord du malaise, puis il se ressaisit superbement et conclut le morceau avec fougue.

Le public nous revigorant, le spectacle se déroule à la perfection. Nous nous réfugions ensuite dans la cour, vêtements trempés. La fraîcheur de la nuit me ravive,

JOURNAL D'UN AMOUR PERDU

mais je demeure sous tension car je réponds aux spectateurs passionnés tout en signant leurs livres.

Nous regagnons enfin la voiture. Au volant, Christophe,
l'administrateur au cœur d'or, râle avec raison contre le
comportement d'un employé lorsque je me sens mal.

– Il faut que je respire...

Je descends la vitre : ça ne suffit pas.

Christophe arrête le véhicule dans une station d'essence.

J'ouvre la porte, je pose pied au sol, je m'évanouis.

Quand la conscience me revient, je me retrouve
étendu sur l'asphalte, Christophe et Nicolas penchés
au-dessus de moi. Ils s'alarment. Je murmure :

– Pas peur. Malaise vagal. Mes parents spécialistes.

Bonheur de revenir à la vie. J'inspire l'air vif et poivré des
champs. Des étoiles piquent le ciel. L'eau que Christophe
me verse dans la bouche me semble un nectar. Je revis ma
naissance à l'âge adulte, en sachant ce que je quitte, ce que
je récupère, ce qui m'attend. Ivresse d'exister...

Nous reprenons la route pour des heures et j'exulte
jusqu'au moment où je me jette au lit.

Confidence pour ce seul journal : en m'évanouissant,
je jubilais aussi. « Je fais comme elle, ai-je pensé fugiti-
vement, je la rejoins. »

*

La mort paraît trop souvent la solution de la douleur. Impossible de chiffrer les fois où je me suis écrié : « Assez, vivement que ça cesse ! » en souhaitant m'effondrer.

Providentiellement, une instance en moi résiste aussitôt à cette exclamation.

Si une partie de mon esprit émet ce désir suicidaire, une autre le détruit.

Je vis une division.

Je suis une division.

*

Colombe rentre chez elle après plusieurs mois d'hôpital.

*

Et soudain, je me mets à écrire.

L'été ne devait pas se dérouler ainsi. Censé me reposer, je préfère lutter contre les forces du néant, je me range du côté de la vie, j'ajoute de la vie à la vie.

Le livre s'intitulera *Félix et la source invisible*.

*

La nostalgie à l'avance...

Ce sentiment a éclairé tous les moments que j'ai

vécus avec Maman ces dernières années, pas seulement
lorsque je la quittais pour monter dans un taxi en lui adres-
sant de longs signes auxquels elle répondait depuis son
balcon. Quand nous nous promenions, quand nous bavardions, quand nous assistions à un spectacle, même si nous
frémissions de contentement, une subite distance m'or-
donnait : « Profite ! Ça disparaîtra un jour. » Même si
j'appartenais à la scène que nous partagions, un recul
l'emportait. « Savoure, goûte, embrasse, car l'instant s'éva-
nouit. » La réalité prenait déjà la forme d'un souvenir.

La nostalgie à l'avance...

Un coup de poignard du futur dans le présent.

Un coup de poignard du malheur dans le cœur du
bonheur.

Un coup de poignard du néant dans l'être.

*

Cette nostalgie à l'avance vient de l'esprit qui murmure : « Ça, je le retiens, c'est beau et précieux. »

Un sentiment aussi triste que doux.

Le sel de l'existence.

*

197

Cultiver le goût de l'unique, mesurer la fragilité, percevoir l'éphémère.

Pour ne rien rater, ne rien perdre, je pratiquerai davantage la nostalgie à l'avance.

*

Le livre progresse. Il s'impose.

Il m'a demandé à exister, je lui ai obéi.

Loin que je le dicte, il se dicte à moi.

*

Je n'aurai été que la sage-femme de mes livres.

Comme il me plaît ce terme féminin !

*

J'ai fini le premier jet du livre et, grâce à Gisèle, l'ai nettoyé, épousseté, ciré.

Après elle, Yann et Bruno lisent *Félix et la source invisible.*

En revenant vers moi, ils s'écrient :

– Te rends-tu compte de ce que tu as écrit ?

– Pardon ?

– L'histoire d'un garçon qui parvient à ressusciter sa mère.

Je demeure muet un bon moment : au long des semaines, cette idée ne m'a jamais effleuré.

*

Je m'installe le mois de septembre au théâtre Rive Gauche pour interpréter *Monsieur Ibrahim et les fleurs du Coran*. Alors que j'ai déjà deux cents représentations dans les jambes, me risquer à Paris m'effraye. Dans la capitale, la profusion des salles, l'exigence choyée des spectateurs me donnent l'impression que je joue pour la première fois.

– Quand tu n'auras plus peur, tu arrêteras tout, me répète Maman.

Je bondis sur scène avec l'énergie du taureau qui entre dans l'arène.

*

Maquillage, démaquillage ! Jamais je ne me suis autant scruté dans un miroir que pendant ce mois de spectacles.

J'aime voir le visage de Maman dans le mien.

*

Je fixe mon reflet durant une heure et tu es là.
Chair et âme. En moi.

*

Je joue *Monsieur Ibrahim* à guichets fermés et personne ne s'en étonne. Sauf moi.

*

Elle me regardait comme un être unique, incompa-
rable, doué. Voici la clé de mon destin : j'ai cru au
regard de ma mère.

*

Morale du théâtre.
Jamais je ne me dis : « À quoi bon ? » Lorsque je place
ma voix ou que je veille à la précision de mes consonnes,
je n'estime pas que j'en ai fait assez. « Qui entendra ces
détails ? » me souffle un sceptique au fond de la loge.
« Moi », répond Maman. Alors je reprends, j'insiste, je
persévère. Grimaces, assouplissement des cordes
vocales, musculation des lèvres, travail sur les dentales,

sur les sifflantes… J'essaie aussi de ne pas crisser mes
« r » à la belge, mais de les arrondir. « Trrrr. Drrrr.
Vrrrr. » Je recommence…

Je sais que tout s'inscrit dans l'éphémère. Tandis que
d'ordinaire mes mots d'auteur se coulent dans le bronze
indéfectible d'un livre, je ne vais qu'écrire sur l'eau, former des ondes ou des reflets sur la conscience des spectateurs, dont la mémoire, un jour, s'effacera à son tour.
Ça ne me semble pourtant pas dérisoire. Que le théâtre,
selon sa taille, contienne trois cents ou deux mille personnes, je me déchaînerai. Que je me produise dans une
capitale ou dans un bourg, je mobiliserai toutes mes
forces. Le feu s'économise-t-il ? Est-ce que la flamme
calcule ? Quoi qu'il advienne, je me consumerai.

Parfois je songe que siègent peut-être, dans le public,
des gens que je n'apprécierais pas si je les connaissais
mieux, mais l'idée ne m'arrête pas. Ils sont venus au
théâtre, lieu sacré de l'humain, ils s'attendent au
meilleur, je leur offrirai mon meilleur.

Le plaisir des autres est mon salut.

*

On occupe sa jeunesse à se préparer à vivre, sa
vieillesse à se souvenir d'avoir vécu. Ce faisant, on rate
le présent qui seul existe en tombant dans deux pièges,

celui de l'avenir qui n'existe pas, celui du passé qui n'existe plus. Que de temps perdu ! Ou plutôt : que de présent perdu !

Il faudrait ne vivre que dans l'instant, sous son unique soleil. Le souvenir n'éclaire pas, il éteint. Quant aux projets, ils distillent des rayons de lumière étroits, sélectifs et pauvres sur la réalité immédiate.

Durant mon deuil, le théâtre ou l'écriture ne me divertissent pas de l'essentiel, ils m'y reconduisent : vivre l'instant sur les planches, vivre l'instant sur la page. Par eux, je connais l'intense dévotion au présent.

La vie comme une Action de grâce.

*

Se méfier de deux assassins : la nostalgie, l'espoir. Ils tuent le présent.

*

Les représentations parisiennes m'ont éreinté, d'autant que, la dernière achevée, entre les réunions du Goncourt, j'ai repris des avions pour la publication de mes livres dans plusieurs pays – Italie, Roumanie, Turquie, Géorgie.

Pour me remettre d'aplomb, je pars avec Yann et

Bruno quelques jours à Prague. Une ville qui aima ardemment Mozart de son vivant ne peut que me plaire.

*

Prague.
Impossible de dormir pendant cette première nuit. J'ai obtenu de changer de chambre vers 2 heures du matin. En vain ! Le problème découle de moi.
Je suais, mon cœur battait trop vite, je suffoquais.

*

Bien que séduit par Prague, je subis des crises d'angoisse incontrôlées, incontrôlables.
Ainsi, à l'Opéra cet après-midi, lors d'une exécution médiocre du *Macbeth* de Verdi, j'ai trembloté, manqué d'air, senti mon cœur s'accélérer, et désiré sortir au frais.
Ensemble, nous cherchons ce que j'ai mangé qui provoquerait ces malaises ; nous concluons à un excès de sel.

*

Retour à Bruxelles. Je panique à l'idée de me coucher, car je sais que mon cœur battra à se rompre, que je plongerai dans l'angoisse, que je ne m'assoupirai pas.

*

Trois nuits à fouler les trottoirs bruxellois pour réguler mon cœur, épuiser mon corps. Le sommeil me fuit.

*

Panique. Sentiment d'absurdité. Pourquoi vivre ? Pourquoi s'entêter à vivre ? À quoi bon ?

*

L'angoissant de l'angoisse, c'est qu'elle n'a pas d'objet. La peur désigne un ennemi. L'angoisse non.

*

L'angoisse n'a peur de rien, elle est peur du rien.

*

– Tu abordes une étape de ton deuil, suggère Bruno. En cessant brusquement de travailler, tu supprimes les tensions et les stress habituels qui te maintiennent debout. Donc tu perds pied. Ça s'arrangera.

Mes crises me paraissent pourtant étrangères à mon chagrin.

La tristesse ne partage rien avec l'angoisse. Quand Maman me manque, je m'enfonce dans un trou, un trou délimité, entouré de souvenirs. Quand j'éprouve de l'angoisse, je tombe dans le vide, un vide pur, infini, sans parois ni fond.

Triste, je peux toujours m'agripper au passé. Angoissé, je ne me raccroche à rien.

Il reste de l'être dans la tristesse – l'être qui nous manque. Dans l'angoisse, il n'y a que le néant.

*

Je consulte Alain G., mon médecin.

Il procède par exclusion, vérifiant les données cardiaques, pulmonaires, et induit une cause psychologique.

– Trop de poids sur tes épaules, trop de responsabilités, entre ton théâtre à Paris, ton œuvre d'écrivain, tes représentations de comédien, tes mises en scène, tes voyages à l'étranger, tes lectures obligées pour le Goncourt.

Nous bavardons de façon intime, tout au bonheur délicat des épanchements entre amis.

Il me conseille de recourir à un psychothérapeute pour achever mon travail de deuil. Humblement, j'admets que, seul, je n'y arrive plus ; cependant, en moi, je persiste à ne pas croire ces crises liées à ma mère.

– On ne sait pas tout de soi, Éric.

J'acquiesce.

*

Les crises continuent.

*

Elles empirent.

*

Je dois jouer *Monsieur Ibrahim* ce dimanche après-midi près de Bruxelles, or je n'ai pas fermé l'œil depuis trente heures. Alain débarque en urgence. Il mesure mon état de panique et me prescrit un anxiolytique.

Après l'avoir avalé, je me couche en boule sur le sol, à même le plancher, telle une bête blessée qui souhaite qu'on la laisse crever.

*

Nous partons à la campagne pour les fêtes de Noël et j'ai décidé de ne plus toucher à la boîte d'anxiolytiques, quoique je la conserve à proximité : au moindre quart de cachet, je m'endors pour douze heures.

Quant au psychothérapeute, sa carte traîne dans ma poche et je ne me résous pas encore à composer son numéro.

*

Les crises d'angoisse reprennent.

*

Tout m'agace, les gens, les nouvelles, les films, les livres. Je traverse le village pour promener mes chiens en jetant un œil horrifié à l'intérieur des maisons.

– Pourquoi ces gens ne se suicident-ils pas ? Quelle vie nulle ! Comme la mienne.

Daphné et Lulu me vrillent les nerfs. Quand ils me regardent en attendant un baiser, un câlin, un jeu, un os, une balade, je persifle :

– Pauvres abrutis, à quoi ça sert ? Une friandise de plus, c'est ça votre but ?

J'ai conscience de pester, de fulminer, d'exagérer, de délirer, ballotté par une vague de contemption ravageuse, de dégoût universel.

Ce soir, j'ai considéré la lune noyée dans la brume et je l'ai apostrophée, comme si elle incarnait Maman :
– Tu as bien de la chance d'avoir clamsé. Au moins c'est fait !

*

Je ne me reconnais plus du tout dans mes pensées. Je ne suis plus moi. Un autre a pris ma place.

*

Combien de temps arriverai-je à tenir ainsi ?
Et pourquoi tenir ?

*

Seule bonne question : pourquoi n'y a-t-il pas davantage de suicides ?
À quoi les gens se cramponnent-ils ?
Pour moi, le scandale n'est pas la mort mais la vie.

*

Mon avenir réside dans un hôpital psychiatrique. Pas d'autre issue provisoire.

*

Je tripote la carte du psychothérapeute. Vais-je l'appeler ?
À quoi bon ?

*

Alors que, en nage, le souffle court, je tourne et retourne dans les pièces pour domestiquer mon cœur affolé, Yann s'exclame :
– On dirait un toxico !
Je m'arrête : une idée m'éclaire.
J'ai été empoisonné.

*

Je suis persuadé d'avoir repéré l'origine de mon épouvante.

Dans ma trousse à médicaments, j'avais remarqué une odeur louche, à Prague, où avaient commencé mes troubles, mais je n'avais pas enquêté plus avant. De cette trousse, j'ai continué à extraire matin et soir les doses de mes traitements.

Or je constate qu'un flacon y gît, ouvert, dont le

contenu imprègne le tissu et les boîtes. Je retire le flacon : sur l'étiquette s'affiche une tête de mort.

Un fongicide acheté aux États-Unis qui soigne les mycoses des ongles s'est répandu. Tandis que la notice interdit même de l'inhaler, moi je l'ai absorbé en avalant les pilules contaminées.

Oui, j'ai été empoisonné. Pas par quelqu'un, par ma négligence.

*

Confirmation expérimentale de ma théorie : depuis que j'ai nettoyé ma trousse et jeté aux ordures les médicaments viciés, les suées ont cessé, mon cœur bat lentement, j'ai recouvré le sommeil, l'angoisse m'a déserté.

Je présumais bien que ces crises n'avaient rien à voir avec ma mère, qu'on ne devait pas les psychologiser, mais les physiologiser.

La dépression ? Sans rapport avec la tristesse, elle relève du corps, pas de l'esprit. Puisqu'une drogue avait modifié mon équilibre chimique, j'ai sombré. Dès lors que je l'ai supprimée, je retrouve mon caractère et mes sentiments.

Un intrus s'était infiltré en moi et me manipulait. Le diable se réduit à du moléculaire. Le diable est chimique.

*

Je m'attaque à mon devoir de bonheur. Une étape vient d'être franchie : j'ai récupéré ma bonne nature, en jouis et suis conscient de la posséder.

Maman ne m'a pas donné que le cadeau de *la vie*, elle a réussi mieux : elle m'a offert *la vie belle.* Curieuse, vive, attentive, énergique, véloce, dotée d'une mémoire exceptionnelle, sensible au présent, elle pratiquait l'émerveillement et cultivait l'allégresse.

À mon tour !

*

– À quoi consacreras-tu l'argent de ta mère ? me demande Bruno.

– Je guette la bonne idée, mais elle ne semble pas pressée.

Je ne veux pas que cet argent reste de l'argent, grossissant un compte où il se confondrait avec divers apports jusqu'à ce que je ne le reconnaisse plus. Je dois l'extirper des chiffres.

*

211

Les sentiments vont par deux, comme l'ombre et la lumière.

Il n'y a pas de sentiments célibataires, tous vivent en couple.

En ce moment, ma Tristesse cuisine son repas à ma Joie. Ma Nostalgie a invité ma Gaieté à danser pour célébrer le bon vieux temps mais ma Gaieté compte bien l'étourdir. La Foi et le Doute font un voyage de noces au désert. Bras dessus bras dessous, la Confiance et l'Angoisse se promènent dans la nuit étoilée ; quand l'une se tord la cheville, l'autre la soutient. L'Insouciance offre un bouquet à l'Inquiétude, et l'on prétend même que le Désespoir a demandé l'Espérance en mariage.

Notre sottise consiste à les séparer. Ne garder que l'Espoir. Supprimer la Tristesse. Mettre le Doute au cachot.

Mais sans le Doute, la Foi devient intolérante, puis violente, puis meurtrière.

Mais sans la Tristesse, la Joie se connaît si peu qu'elle s'ignore ou se délite.

Mais sans le Désespoir, l'Espoir vire à la bêtise.

Ne souhaitons pas leur divorce. Tâchons plutôt de trouver notre place au milieu de ces tensions.

*

« Je t'aime. »

Même chuchotés, même murmurés, ces trois vocables – « je t'aime » –, elle ne me les a jamais adressés. Pas besoin d'énoncer les évidences ! S'exclamer « Il fait beau ! » quand il fait beau, cela revient à parler pour rien.

Moi non plus, je ne lui ai jamais dit « Je t'aime ». Cela m'aurait paru grotesque. Les preuves d'amour valent davantage que des mots d'amour. Laissons les phrases aux menteurs ou aux paniquards.

*

Il ne faut pas abîmer l'amour avec des mots. Les mots écorchent, corrompent, abusent, brouillent, exagèrent, minorent, détruisent, ils appartiennent aussi bien aux naïfs qu'aux vulgaires, aux cyniques, aux peureux, aux rusés, aux paresseux, aux escrocs, aux sots.

Nous partagions, Maman et moi, cette conviction : l'amour est une fleur précieuse qu'on préserve par un silence sacré, de peur qu'elle porte la cicatrice des termes inadéquats.

*

Cinq semaines à Montréal la douce, cité chaleureuse dans un climat glacial. En deux décennies, le Québec a fini par devenir le pays étranger où j'ai passé le plus de temps – je me surprends d'ailleurs, en utilisant le terme « étranger », à le trouver inapproprié tant mes séjours ont formé un tissu de sensations familières.

Le Québec se dresse comme un pur et magistral résultat de l'entêtement humain : bâtir des villes sur une terre hostile, édifier une nation avec des individus venus de partout, parler français en Amérique du Nord. Plutôt que d'afficher « Je me souviens » sur les plaques d'immatriculation, mieux vaudrait inscrire « À l'impossible nul n'est tenu ». Le Québécois représente un paradoxe : une âme de fer dans un anorak duveteux. Alors que l'Histoire démontre que les Québécois se révélèrent offensifs, têtus, opiniâtres, voire teigneux, ils offrent un abord jovial, velouté, amène. Ce soleil que la latitude leur mégote, ils le portent au fond du cœur et l'épanouissent dans leur sourire.

Si les États-Unis sont masculins, le Canada est féminin. Au sein des premiers, la vie s'organise autour de valeurs dites viriles, agressivité, culte de la réussite, goût de la force, tentation de la violence, amour du pouvoir, impérialisme conquérant. Au sein du second, on développe les valeurs de l'intériorité et du foyer, repli, harmonie, pacifisme, souci de l'accomplissement personnel. La littérature l'illustre puisqu'il suffit de citer leurs Prix Nobel pour le saisir, Ernest Hemingway pour les États-Unis, Alice Munro pour le Canada.

Pour l'heure, je répète ici *Le Mystère Carmen*, un texte que j'avais créé à l'Opéra de Paris sous forme de concert-lecture – *Le Mystère Bizet* – mais qui devient un véritable spectacle grâce à Lorraine Pintal, un trésor d'intelligence et d'énergie, laquelle me dirige avec des chanteurs et un pianiste québécois.

Plutôt qu'un personnage, j'incarne le narrateur qui mène l'enquête sur la mort de Bizet, fouille le passé, réfléchit au sens des œuvres, brosse un tableau de l'époque et livre quelques analyses philosophiques. Mon rôle réclame de l'autorité et, sur ce bloc d'autorité, je sculpte ensuite quelques nuances.

Marie-Josée Lord, la splendide soprano d'origine haïtienne avec laquelle je partage la scène, me dit ce matin, amusée par mes chemises et mes costumes qu'elle a vus défiler durant les deux semaines de préparation :

– Vous êtes un amoureux du bleu.

Surpris, je rougis d'autant plus que je mesure la pertinence de sa remarque : sans que je l'aie prémédité, mes vêtements déclinent le bleu en multiples variations. Afin de couvrir mon trouble, je réponds en fanfaron :

– La couleur du mysticisme.

Je songe aux bleus des fresques ou des retables qui m'envoûtent dans la peinture italienne. Or l'aiguille de la vérité me pique :

« Mon lapin bleu… »

La voix attendrie de Maman me revient :

« Mon lapin bleu... »

Le surnom qu'elle me donnait lorsque nous nous trouvions seuls ensemble...

D'où lui venait cette image ? Jamais je n'ai entendu prononcer cette formule par quiconque, jamais je n'ai repéré un livre ou un film qui la contînt.

« Mon lapin bleu... »

Les mots nous forgent des destins. On sait que prénoms et patronymes projettent leurs lumières ou leurs ombres sur nos vies – les psychanalystes l'expliquent quand ils soignent leurs patients, les romanciers en usent quand ils baptisent leurs personnages –, mais on néglige l'empreinte que laissent aussi ces expressions légères, lancées à la volée, qui semblent n'appartenir qu'au moment où elles traversent l'air en friselisant.

Si ce « lapin bleu » ne m'a pas doté de dents de rongeur ni n'a allongé mes oreilles, il m'a amené à chercher dans le bleu un refuge, la protection affective, un sentiment de sécurité.

Ce soir, je contemple mes vêtements dans l'armoire de l'hôtel, lesquels, au lieu de pendouiller, s'animent, en conciliabule les uns avec les autres, et je murmure, à l'adresse de Maman : « Bon choix ! »

*

Lumière inédite, ce matin.

Je crois inventer ma vie alors que je la calque sur celle de ma mère.

Au Canada, elle se rendit pour danser, durant tout un mois, lors de l'Exposition universelle de Montréal en 1967.

Que fais-je en ce moment ? Je séjourne un mois à Montréal pour jouer au Théâtre du Nouveau Monde.

Elle y présentait les danses françaises de l'époque baroque. J'y présente la musique française de l'époque romantique.

Elle innovait, je reproduis.

Et cela me ravit…

*

Première du *Mystère Carmen*.

Sans que le public s'en doute, elle me procure d'abord un triomphe personnel, car je m'étais blessé il y a deux jours sur les trottoirs de Montréal. La fameuse glace noire, cet amas congelé si confit au sable qu'il devient plus sombre que la chaussée, m'avait précipité au sol. Mon genou droit avait cédé, celui qui fut opéré.

Je détiens désormais une caractéristique physiologique rarissime : mon talon d'Achille se situe au genou.

Perclus de douleurs, incapable de marcher, j'ai passé les ultimes répétitions à déclamer mon texte à la lisière du plateau, depuis mon fauteuil roulant qui ne pouvait se risquer sur le décor en pente...

On m'a suggéré de décaler la première : j'ai refusé, par respect du public et de mes camarades déjà prêts. On m'a conseillé d'efficaces anti-inflammatoires : je les ai repoussés en craignant que des drogues altèrent ma concentration.

Ce soir, on m'a conduit en fauteuil roulant jusqu'aux confins des coulisses et là, sitôt que la musique a retenti, je me suis redressé, suis entré en scène et j'ai entamé le spectacle. Miracle de l'adrénaline : j'ai tenu les deux heures. Un instant, mon genou s'est dérobé sous moi, le public a tressailli, je me suis agrippé au piano, et on a cru que j'avais glissé sur une marche du décor.

Après les saluts devant un public debout, nous fêtons notre bonheur au foyer des comédiens. Yann et Bruno me rejoignent en premier – Gisèle, malade, est restée en Europe –, ils savent combien je souffre et, tout en me félicitant, ils me sermonnent, furibonds que j'aie mis ma santé en péril pour « assurer ». Je me défends :

– Cela prouve la puissance de l'esprit sur le corps.

– Quand ton corps sera foutu, tu n'auras plus rien sur quoi exercer ta force !

J'entends Maman au fond de leurs remontrances.

Puis les amis, Denise Robert en tête, déboulent au milieu du foyer, et je récolte les résultats de ma bravoure momentanée.

Un détail m'amuse. En me voyant immobilisé, la jambe surélevée, le genou entouré de glaçons, certains spectateurs émettent une grimace sceptique : ils imaginent que je joue la comédie, non sur scène, mais maintenant...

*

Les représentations se déroulent à merveille, le genou va mieux ; condamné à de longues heures d'immobilité dans ma chambre d'hôtel, je me rends compte que mon anniversaire approche, donc celui de la mort de Maman. Deux ans...

J'ai laissé trop de pensées en chantier. Je dois boucler quelque chose.

*

L'avion traverse l'Atlantique pour me ramener en Europe. Durant ce vol de nuit, autour de moi, les passagers sommeillent tandis que j'écris.

Les hôtesses s'amusent de ma singularité :

– Vous ne dormez jamais, monsieur Schmitt ?

– Jamais en avion.

La part reptilienne de mon cerveau n'admet pas que j'évolue dans les airs et m'interdit de somnoler pour rester vigilant, prêt à intervenir en cas de danger.

Un autre pôle de mon cerveau a beau lui répondre que, nul en aéronautique, nul en mécanique, nul en informatique, je ne saurais réagir lors d'une catastrophe, l'instance reptilienne n'en démord pas : je veille.

Dormez tranquilles, chers compagnons de route, je monte la garde.

*

J'atterris à Bruxelles avec deux tâches urgentes en tête : rendre visite aux Ricklin, aller au cimetière.

Il est temps d'en découdre avec les fantômes.

*

La maison se blottit au creux de deux collines, dans un sillon forestier où coule une rivière. Seul bâtiment aux environs, une ancienne fabrique de papier éventrée achève son existence, fenêtres cassées, toit défoncé, servant de refuge aux corbeaux ou de tuteur aux ronces ; vingt mètres derrière, le moulin à aubes, comme hébété, a cessé son activité, la roue figée en l'air au-dessus du filet d'eau qui succède au torrent d'autrefois.

Le taxi me dépose devant un court portail sang de bœuf.

La bicoque des Ricklin ressemble davantage à un décor de cottage qu'à un cottage. Pigeons en terre cuite juchés sur les gouttières, bull-dogs vernissés surveillant le seuil, cages suspendues contenant des moineaux en porcelaine, mobiles de fer qui sifflent au gré du vent, géraniums aux rebords des fenêtres, jarres et jardinières le long de la façade tapissée de lierre, rien ne manque pour créer une atmosphère champêtre.

– Entre, Éric, entre !

Solange Ricklin passe sa tête frisée par une lucarne et m'encourage :

– Approche !

Cela se voit-il, que j'avance en reculant ?

René Ricklin ouvre la porte basse, ce qui déclenche un concert de clochettes aigrelettes.

– Ah, ravis que vous nous rendiez visite.

Il tend raidement ses bras vers moi, je serre sa main à la paume sèche. Je leur présente une boîte de chocolats achetée à Bruxelles.

– De Bruxelles ?

Que cela vienne de Bruxelles leur paraît fabuleux...

Nous échangeons des amabilités et ils me font parcourir leur étroite chaumière dont ils s'enorgueillissent comme Louis XIV de Versailles. Je me répands en compliments sur le tissu Vichy, les coussins brodés au point de croix, les meubles regorgeant de cire, les carreaux d'argile défraîchis, les papiers peints fanés. Je m'enflamme avec ferveur, ma sincérité ne tenant pas au contenu de mes exclamations, mais au souci de leur plaire. L'entassement prodigieux d'objets inutiles me permet d'improviser et me rend progressivement confiance – j'appréhende tant l'entretien que nous aurons par la suite...

Nous revenons dans l'exigu salon, près de la cheminée encombrée de fleurs séchées en bouquets. Les Ricklin s'enfoncent dans des fauteuils qui les engloutissent. Ici, chez eux, ils me paraissent très âgés, beaucoup plus que lors de la séance de signatures à Strasbourg ; ils ont rétréci dans leurs vêtements et dans leurs meubles.

Ils se redressent subitement pour me proposer de l'alcool, gênés de l'avoir oublié.

– Du vin ? Tu es comme ton père, je parie.

– Ah ça, Paul, il levait le coude !

– René a mis de côté des bouteilles de chez nous, en Alsace.

– L'Alsace, c'est aussi chez lui, Solange. Les Schmitt habitaient Colmar.

– Que désires-tu ? Blanc, bien sûr ?

222

Je sens que je les peinerai en refusant. Je m'invente une soirée trop arrosée la veille qui m'empêche de siroter aujourd'hui ; énorme, le mensonge convainc plus facilement que la vérité – je ne bois pas d'alcool.

– Une tisane, carrément ? lâche Solange, déçue.

– Oh, je n'osais pas...

– Bien sûr, une tisane, ça te rabibochera, s'écrie-t-elle, ébahie de son réflexe maternel.

Malgré ses os qui craquent, elle s'élance vers la cuisine pendant que René part à la recherche du gâteau. Ils s'affairent à petits pas, un vrai branle-bas. Quoique agités, ils se dépêchent avec lenteur.

– Quelle tisane ? Ceylan ou Earl Grey ?

On ne distingue pas tisane et thé chez les Ricklin. Je m'amuse à semer le trouble :

– Bergamote.

Elle repasse la tête dans le salon.

– Désolée, je n'ai que Ceylan ou Earl Grey.

– Alors Earl Grey.

– Tu verras, c'est aussi bon !

René Ricklin a profité de cet épisode pour apporter une boîte en fer remplie de photos.

– On les a classées de côté dimanche en pensant à vous.

Je suis ému par le mal qu'ils se donnent ; tandis que j'imaginais que ma visite ne revêtait de l'importance qu'à mes yeux, elle compte pour eux.

Nous contemplons les clichés du passé, où apparaît mon père jeune au milieu de judokas passionnés. Solange et René identifient complaisamment tous les faciès, dont les noms ou les traits ne me rappellent rien.

Je goûte le gâteau, une sorte de croûte salée, épaisse, dure, qui colle à ma langue.

– Tu n'aurais pas oublié la levure ? glapit René en grimaçant, effrayé par ce qu'il vient d'ingurgiter.

Solange considère son mari avec un mépris écrasant.

– On ne met pas de levure dans un gâteau de Savoie.

– Il est complètement raplapla.

Elle daigne regarder le morceau qu'il lui montre. Ses cils battent. Elle profère d'un ton incisif :

– J'ai changé de moule.

Impressionné, il reporte la portion à sa bouche.

– Bourratif, quand même…

– Bourratif, mon gâteau ? Il n'y a que de bonnes choses dedans.

– Oui, mais…

– Va chez le dentiste, mon pauvre ami. Mon gâteau est très bien.

Elle se tourne et me lance, légèrement agressive :

– Non ?

Je sens le piège se refermer : soit je me fâche avec lui, soit je me fâche avec elle. Je choisis une troisième voie :

– Vous vouliez m'entretenir de mon père ?

– Oh oui… enfin…

L'émotion saute au visage de Solange et de René. Ils bredouillent :

– Évoquer le passé, ça fait plaisir…

Ils se consultent. Discrètement, elle lui intime l'ordre de commencer. Il s'éclaircit la voix :

– On frissonnait quand on entendait Paul parler de vous. Il était fier. Si fier.

Elle corrige son mari :

– Il était amoureux !

– Pardon ?

– Ton papa n'avait pas assez de grands mots pour toi. Je baisse les yeux, mal à l'aise. Elle sursaute.

– Quoi ? Tu ne le sais pas ?

– Moi, je bénéficiais surtout d'engueulades et de remarques désagréables.

René Ricklin reprend la conversation, le sourcil sévère, comme si j'avais dix ans :

– Normal, il faisait son boulot de père.

Solange Ricklin tord le nez en goûtant son gâteau.

– J'ai dû oublier de monter les blancs en neige.

– Ah, tu vois ! s'exclame-t-il, victorieux.

– Tais-toi. Ceux qui ne font rien ne se trompent jamais.

Ils se toisent et, d'un commun accord, closent l'histoire du gâteau.

Elle revient à moi.

– Dans ton dos, ça crevait les yeux qu'il t'idolâtrait. Ouh là là !

– Ouh là là ! renchérit-il.

Elle scrute René, espérant qu'il enchaîne. Comme son mari cale, elle secoue le menton, irritée, et se penche vers moi.

– Il parlait de toi avant…

– Avant quoi ?

– Avant ta naissance.

– Pardon ?

– Il se rappelait parfaitement le jour où…

– Le jour où quoi… ?

– Le jour où ça s'est fait.

Elle soupire, satisfaite. René branle du chef, admiratif.

Je les observe, atterré de discuter avec deux fous. J'ai envie de partir et, presque malgré moi, je me dresse sur mes jambes.

Ils frémissent. Solange houspille son mari :

– On s'embrouille, René : il ne comprend pas.

– Ben si, il comprend.

– Non.

Elle m'attrape le bras. D'un geste suppliant, elle m'incite à me rasseoir, suspend sa respiration et m'interroge :

– Tu es né en mars 1960, n'est-ce pas ?

– Oui.

– Donc tu as été conçu en juillet.

– Euh… oui… sans doute.

– Certain ! Tu n'es ni un chiot ni un éléphanteau, donc tu as été conçu en juillet 1959. Et où ? À Beauvallon !

– D'accord.

– Eh bien, ton père affirmait qu'il se souvenait du jour où il t'avait fabriqué avec ta mère.

– Quoi ?

– Un après-midi de canicule, pendant la sieste.

Monsieur Ricklin reprend du poil de la bête et poursuit :

– Non seulement il en parlait des années après, mais il m'en avait causé ce jour-là.

– Pardon ?

– Ton père m'avait rejoint au tatami vers 19 heures, l'heure de nos compétitions. Paul était beau mec, mais alors ce soir-là, il rayonnait, aux anges. Je l'ai charrié, il a rigolé, et il m'a déballé qu'il avait fait avec ta mère une « sieste » extraordinaire et que, s'il n'avait pas un enfant après un après-midi pareil, il n'y pigerait rien.

– Ton père et ta mère avaient décidé d'en mettre un deuxième en route, explique Solange.

– « Un fils ou une fille ? » je lui ai demandé. « Qu'importe ! il m'a dit. Mais un fils après Florence, ce serait l'idéal. Le choix du roi ! »

Solange conclut :

– Et neuf mois plus tard, tu es arrivé !

Je demeure stupéfait. Tout ce que j'ai cru durant des décennies s'effondre. Je fixe mes chaussures, j'ânonne :

– C'est... c'est cela que vous vouliez me dire ?

Ils approuvent de concert :

– Oui... Pas banal, non ?

Ils pouffent, contents de leur effet. Solange pivote vers René.

– Peu de gens savent quand ils ont conçu leur enfant.

– Et leurs enfants encore moins, rétorque-t-il.

– Paul et Jeannine ont eu ce privilège. Notre rôle consistait à te l'annoncer.

D'une voix blanchâtre, je murmure :

– Merci.

Solange saisit ma main.

– Tes parents s'adoraient et ils t'ont fait en s'adorant.

Sans que je comprenne ce qui m'arrive, les larmes jaillissent de mes yeux.

*

Les Ricklin viennent de me gratifier d'un père, et c'était le mien.

*

La honte serait-elle l'éclat de la vérité ?
Elle teinte toutes mes pensées.

Accablé par mon erreur, je me réprouve, je mesure mon ingratitude, l'abjection de mes jugements visant mon père ; je me rends compte que j'ai attribué à ma mère une duplicité qui violait son honnêteté et bafouait l'amour profond qu'elle vouait à son mari. Je me découvre vil, mesquin, suspicieux, féroce, obtus, laid. Je me hais.

Qui prête de la perversité aux autres exerce la sienne.

La honte est la lumière noire de la lucidité.

*

Je revisite ma mémoire en considération de ce que je sais désormais.

Les œillères tombent, les évidences fusent. Me reviennent ces scènes que j'avais mal interprétées…

Ainsi cet après-midi où, à la campagne, ma mère m'avait révélé qu'elle avait trompé mon père, après une incartade de celui-ci. J'avais alors attendu la deuxième confession, la plus importante, celle qui me concernait. Comment avais-je pu montrer tant d'aveuglement ? Maman m'avait précisé « je l'ai trompé une fois », avait bien spécifié « après ta naissance » et surtout avait évoqué l'insatiable rage de mon père, lequel, en macho primaire, avait remâché cette histoire jusqu'à son dernier souffle. Un tel homme aurait-il supporté un doute sur son fils ? Ce jaloux aurait-il élevé le rejeton d'un rival ? À l'évidence non. En me racontant son écart, ma mère n'ouvrait pas la porte à d'autres aveux, elle la fermait. Loin de remettre en question mon origine, elle me donnait un certificat de lignage.

Ma sottise n'avait rien vu.

Quelle ineptie aussi lorsque j'avais cru saisir un lambeau de vérité dans l'expression de mon père, « les hasards de la génétique » ! Il lançait ces mots dès qu'on le complimentait à mon sujet pour abriter son émotion sous l'humour, se protéger d'une ridicule fierté par une fine ironie. Il clamait *les hasards de la génétique* et pensait *chair de ma chair, sang de mon sang*.

Quand ma mère, en l'entendant, l'avait grondé doucement – « Oh Paul, arrête, tu ne peux pas dire ça ! » –, ni une pécheresse ni une épouse soupçonnée ne s'offusquait, mais l'amoureuse qui reconnaissait en son fils le prolongement du mari vénéré.

*

L'éventuelle subtilité d'esprit que je détiens n'a servi qu'à enfanter des erreurs. Si intelligence il y a, elle s'est dévoyée.

La simplicité ne fut pas mon fort.

*

Comme on aime ses erreurs ! Comme on redoute la vérité !

Toute ma vie, j'ai attendu une confidence qui n'est pas venue. Et pour cause ! Il ne s'agissait que d'une fable que j'avais confectionnée et dont j'espérais une confirmation extérieure.

*

Ma honte a pour fondement l'humiliation de ne pas être ce que je croyais, un homme juste et sans préjugés.

*

Si quelqu'un découvre ces aveux un jour, il apprendra ma honte. Mais je n'ai pas honte de ma honte : elle constitue le seul petit bout d'honneur qui me reste.

*

Le passé a le visage du présent. Il grimaçait lorsque je bataillais avec mon père ; aujourd'hui, il sourit.

231

Remontent les souvenirs de bonheurs partagés avec Papa : nos promenades en forêt du Pilat qui nous permettaient de déjeuner sur la mousse, au milieu des bruyères aux odeurs de tourbe ; l'escalade des rochers ; les longues expéditions à skis ; les discussions nocturnes autour d'une mappemonde ; le cadeau d'un piano neuf durant mon adolescence.

Un tri s'opère. Je change d'enfance.

*

Samedi matin.

Je me réveille, j'ai seize ans.

Mon père, penché au-dessus de moi, me contemple avec tendresse. À l'évidence, il se tient là, assis, depuis un certain temps, attendant que j'émerge du sommeil.

Je me redresse et demande, déstabilisé :

– Quelle heure est-il ?

– Onze heures.

– Aïe... je ne m'en rendais pas compte.

– Normal, tu avais besoin de dormir.

Je dois afficher un masque interloqué, car son visage s'éclaire.

– C'était magnifique hier soir. Tu m'as épaté. Je ne te savais pas si doué.

Je baisse les paupières, ému. La veille, j'ai joué et fait

jouer ma première pièce au club théâtre du lycée, *Grégoire ou Pourquoi les petits pois sont verts.*
Il me dévore des yeux, intrigué, admiratif, aimant.
– Quel sacré bonhomme, mon fils !
Plus qu'un armistice entre nous, cela inaugure une ère : si le théâtre produit de tels effets, je vais raffoler du théâtre.

*

Un détail m'empêche de me haïr, la volonté que j'ai affirmée de chérir mon père au cours des décennies. En dépit de mes réticences viscérales, malgré nos incompatibilités de caractère, j'ai choisi de lui restituer ce qu'il m'offrait, respect et affection. Les mots gentils et les chatteries ne me venaient pas, mais je maintenais les apparences au niveau de la correction.
J'avais décidé de l'apprécier. Sans assurance de résultat, je m'y efforçais.
Un devoir d'amour plus qu'un élan d'amour.

*

Une fois de plus, je m'interroge : mes théories antérieures ne relevaient-elles pas d'une simplification ?
Je croyais m'astreindre à l'aimer ; pourtant, lorsqu'il

avait subi l'accident qui l'avait paralysé, j'avais perdu le sommeil pendant un an, moi-même renversé de sentir en ma chair ce qui perturbait la sienne.

Or cette émotion, j'avais désiré ensuite l'effacer. Et j'y étais parvenu.

*

Je me remémore de nouveau mes rêves.

En moi, quelque chose se décrispe à mesure que je me réapproprie mon père, que je m'abandonne à l'aimer.

Je ne crains ni cette libération des sentiments, ni cette libération des rêves. Jusqu'où m'emmènera-t-elle ?

*

Le taxi me conduit au cimetière de Sainte-Foy-lès-Lyon où, il y a deux ans, nous accompagnions Maman en terre.

Un soleil ambré et dru morcelle les bâtiments, insolent, excessivement puissant – il se venge de la retenue à laquelle l'hiver l'avait assujetti ; les fleurs déferlent sur les branches, les pissenlits percent entre les pierres, arbres ou haies grouillent de feuilles, les pollens voltigent. Déterminé, le printemps s'est emparé de la ville.

Nous gravissons les pentes de Fourvière. Je souris. Lyon a récupéré sa géographie originelle : Maman m'attend au sommet de la colline.

Lorsque nous débouchons au village, nous passons devant l'école primaire puis l'école maternelle. Feu rouge. Rien n'a changé : les enfants sortent de classe, certains hilares, certains absorbés, accueillis par leur mère, une voisine, une sœur aînée, les petits emmitouflés, les grands vêtus de manière plus adéquate. La lumière me paraît celle dans laquelle baignent mes souvenirs, crue, contrastée. En observant les façades, je retrouve tout à l'identique, le temps n'a pas coulé : les murs des années 50 affichent leur âge par leur style, la vétusté de leur crépi, mais, à mes yeux de garçonnet, ils semblaient déjà vieux. Étrange... Si je n'avais pas conscience de mes cinquante-huit ans, je descendrais de voiture et rejoindrais la réalité de jadis, intacte.

Le taxi redémarre. Nous approchons du cimetière. Le chauffeur s'inquiète :

– Qu'est-ce qu'elle raconte cette machine ?

Son système de navigation pointe une route que lui, en professionnel endurci, estime à l'opposé de notre destination.

Il hésite et se tourne vers moi.

– La flèche désigne la droite alors que je pencherais plutôt pour la gauche. Qu'en pensez-vous ?

Par réflexe, je réplique :

– Suivons le guidage. S'il se trompe, on rebroussera chemin. Les morts ont tout leur temps.

Il obtempère. Nous obéissons donc à l'écran qui, après moult virages, nous abandonne devant un champ d'herbes folles au milieu des constructions.

– Bizarre, non ? s'exclame le chauffeur.

– Votre système a cent ans d'avance : il indique le seul endroit où l'on pourra encore installer un cimetière.

J'ai surtout l'impression que le système, sentant ma confusion, se désoriente par empathie.

Le conducteur repart.

– J'y vais à ma façon, conclut-il.

Nous avançons et j'aperçois une allée Alban-Vistel. Aussitôt me revient l'image de ce résistant héroïque, aux traits nobles sculptés par l'âge, auteur de plusieurs ouvrages, lequel m'avait remis un prix lors de mes seize ans – le prix de la Résistance – pour un texte glorifiant le rejet du nazisme. En me confiant la médaille, il m'avait glissé à l'oreille : « Vous êtes un écrivain-né et vous trouverez votre salut dans l'écriture », ce qui m'avait laissé muet.

Quelle profusion de réminiscences ! Le passé a-t-il décidé de former une haie d'honneur jusqu'au cimetière ?

Le taxi stoppe devant la haute grille de fer forgé.

– Je vous pose là et je me gare un peu plus loin, à l'ombre. Prenez votre temps.

Mes jambes tremblent, je grelotte, la nuque froide, ému de me présenter à ce rendez-vous, comme si l'on m'attendait.

Lentement, je gravis l'allée de gravier. Personne ne fréquente le cimetière ce matin, ni visiteurs ni ouvriers ; aucune cérémonie ne s'annonce non plus. J'en suis soulagé.

Mes pieds me conduisent sans erreur jusqu'à la pierre de granit gris, truffée tel un marbre, si polie qu'elle arbore la luisance d'un vernis. Des lettres d'or, gravées, notifient sobrement : *Paul Schmitt 1928-2012. Jeannine Schmitt née Trolliet 1930-2017.*

Les larmes ruissellent, impétueuses, intenses, dépourvues d'idées, juste des larmes. Je ne sais ce qu'elles racontent, ces larmes. Elles sont là. Essentielles. Elles sont moi.

Non, ma mère ne m'a jamais menti : mon père était mon père, et elle repose pour toujours avec lui. Tant mieux.

« Viens avec moi au cimetière voir ton père ! » Je n'étais pas allé me recueillir au-dessus de la pierre mouchetée, en dépit des multiples supplications.

« Viens avec moi au cimetière voir ton père ! »

M'y voici. Elle a réussi.

Après son départ, Maman m'offre donc un cadeau : elle me restitue un père, mon père, l'amour de mon père, l'amour pour mon père. Voilà qu'enfin je l'envisage plus tendrement que volontairement, ce père, car je le considère à travers les yeux de ma mère, pourtant fermés.

Quel renversement ! Aujourd'hui, je me tiens devant la tombe de mes parents, et mes pensées s'adressent aux deux.

Quand mes larmes parviennent à suivre un cours plus modéré, je relève la tête et regarde autour de moi. Le cimetière en pente, accroché au coteau, surplombe le paysage et dispense un tableau panoramique. Une fois encore, Maman a choisi le point de vue des oiseaux. La cohérence marque son existence. De l'appartement d'enfance qui dominait Lyon à ce cimetière en hauteur, elle a sélectionné des lieux jubilatoires, qui ne dépriment pas et qui transforment l'univers en spectacle. Elle agit en artiste de sa vie – comme de la nôtre – ; avec modestie, elle l'a constamment dotée d'harmonie. Elle appartient à ces gens, anonymes et nombreux, qui n'attirent pas la lumière, mais la produisent.

Mes larmes se précisent... Elles disent le malheur d'avoir perdu deux êtres chers et le bonheur d'exister en songeant à ce qu'ils m'ont donné. Mélancolie et gratitude se mêlent.

Au-dessus de moi, sur la crête, des chiens prisonniers d'une chaîne aboient d'une voix rauque. Cela m'agace, puis je me rappelle que les morts n'ont plus d'oreilles.

Pourtant, même s'ils n'ont plus d'oreilles, je parle à mes parents. Les phrases se bousculent hors de ma bouche. Quoique me jugeant ridicule, je continue jusqu'à ce que surgisse le mot qui résume et achève ma logorrhée :

– Merci.

À cet instant, mon téléphone tinte. Un message s'inscrit. Je le déchiffre : « Je t'aime. »

L'amour de ma vie m'interpelle. Hasard ? Destin ?

Je réponds : « Je t'aime aussi », moi qui m'étais montré infoutu de prononcer ou d'écrire une parole affectueuse depuis des mois.

Sur le granit tourterelle, des paillettes de mica clignotent au soleil. Mes parents, depuis le lieu où ils reposent, me suggèrent : « C'est bien dans ces bras-là que tu dois vivre. »

Et je répète :

– Merci.

Soudain, je sursaute, car j'avise les sépultures qui bordent la tombe familiale. La voix de mon père me lance, goguenarde :

– As-tu remarqué entre qui nous logeons ?

Je confirme en déchiffrant les pierres voisines : entre un monsieur Connard et un monsieur Volage !

Je reconnais l'humour de mon père et je ris aux éclats avec lui.

Maintenant, il faut partir.

Pas moyen. Dès que je fais deux pas pour m'éloigner, les pleurs m'arrêtent, je reviens auprès de mes parents.

Je reviens, je reviens, je reviens. Je leur reparle. Je m'avoue privilégié d'être leur fils. Tellement fier. Merci.

Enfin je m'arrache à la tombe et redescends vers la grille.

Voilà que se termine le voyage de deux années : je le percevais comme une errance, c'était en fait un chemin.

*

Ce matin, j'ai fleuri la tombe de mes parents.

Votre fils qui vous aime.

*

Pique-nique chez les morts ?

Dès l'adolescence, je m'étais exclu des célébrations de la Toussaint, ce moment de novembre où les familles nettoient et décorent leurs tombes. Péremptoire, j'estimais que la visite au cimetière se réduisait à une visite à rien ou, dans le meilleur des cas, à une visite à soi-même. Avec beaucoup d'arrogance, j'y voyais soit une moutonnerie, soit une complaisance égocentrée, le chrysanthème remplaçant le narcisse.

Je découvre mon erreur.

Mon passage dans les allées de sépultures m'a ébranlé. Je n'ignore pas l'ambiguïté de la scène : mes parents n'agissaient pas en personnes concrètes, je parlais à des êtres qui ne m'entendaient vraisemblablement pas. D'ailleurs, cette dualité se prolongeait en moi : je souhaitais à la fois qu'ils résident ici et qu'ils n'y résident pas, car, s'ils y logeaient, ils m'y auraient attendu longtemps, deux années pour ma mère, sept pour mon père.

Je n'ai pas retrouvé mes parents en me rendant sur leur tombe, mais ils ont pris une telle consistance que le cours de mes pensées en a été dévié. Leur absence-présence m'a bouleversé, tonifié, apaisé, puis remis en route.

Qu'est-ce qu'une rencontre ? Ce qui délimite un *avant* et un *après*. J'ai bien fait une rencontre au-dessus de la pierre en granit.

*

Je rejoins ma sœur et la famille avant d'interpréter *Madame Pylinska et le secret de Chopin* au théâtre de Caluire. À son dynamisme, à sa belle humeur, à son teint clair, je constate que Florence, elle aussi, va mieux, ce

241

dont je me réjouis profondément. Et que nous demeu-
rions synchrones en chagrin comme en guérison me
touche toujours autant. Frère et sœur de vie, frère et
sœur de mort.

S'avérerait-il qu'un deuil nécessite deux ans ? Moi qui
ai tellement bataillé contre cette idée, voilà que j'expéri-
mente sa justesse, en Florence et en moi.

Décidément, chaque individu se prétend différent et
refuse de comprendre qu'il partage l'humaine condition.

*

Rien de moins unique que de se croire unique.

*

– Que feras-tu avec l'argent de ta mère ? s'exclame
Bruno.

Pour la première fois, je lui réponds :

– C'est aussi l'argent de Papa.

*

Le chemin du deuil amorce un grand virage lorsque
la joie succède à la tristesse : on se réjouit de la vie
d'un être au lieu de se lamenter sur sa mort.

*

Tenu par mon devoir de bonheur envers ma mère, j'ai tâché de reconquérir la joie. Le dictat voté par mon intellect trouvait peu d'échos dans mon cœur. Puis, petit à petit, la joie blessée, assommée, douloureuse, a entamé une convalescence qui se gorge de vie.

Là réside la difficulté du deuil : il emprunte deux routes indépendantes l'une de l'autre, le temps de la décision, le temps des sentiments.

Vouloir être heureux et l'être ne vont pas simultanément.

Cependant, on ne peut le devenir sans l'avoir décidé.

Le temps de la décision précède et inspire le temps des sentiments.

*

Il en est du bonheur comme du pardon : on le décrète afin de le faire exister.

*

Pendant vingt ans, elle m'a réveillé en douceur. En même temps qu'une main caressait mon dos, une voix chantonnait ces mots :

– Éric, il faut te lever. C'est l'heure.

Je feignais de ne pas entendre pour que cela dure. Chaque matin, j'entrais dans le jour en humant son parfum, en savourant sa patiente tendresse.

Quand je me retournais enfin, elle chuchotait :

– De beaux rêves ?

– Oui, Maman, je vais te raconter.

La première chose importante à faire sur cette terre, c'était de fournir une histoire forgée par mon imagination.

Voilà comme on fabrique un écrivain…

*

Cependant, mon père, après *Grégoire ou Pourquoi les petits pois sont verts*, lorsqu'il m'a montré à mon réveil que je pouvais gagner la paix et son admiration en inventant des pièces, a lui aussi fabriqué un écrivain.

Mon destin, autant que ma chair, me vient de mes parents.

*

J'ai rêvé de Papa et Maman. Ils vendaient notre maison d'Écully et s'installaient sous une immense tente, près d'un lac, une tente beige aux drapés majestueux, une tente de sultan ou de roi berbère. Ce pavillon de tissu nous semblait magnifique, à ma sœur et à moi, tandis que le vent soulevait dangereusement ses voiles. Inquiets, nous nous demandions : qu'adviendra-t-il en cas de tempête ?

De plus, la tente s'appuyait contre une pente abrupte. Nul doute qu'à la moindre pluie, l'eau se déverserait à l'intérieur, puis, si l'orage se déchaînait, que le terrain mouillé glisserait en emportant l'habitation au fond du lac.

Je perçus que nos parents partageaient cette crainte, mais se taisaient. Ils irradiaient, à l'orée de la soixantaine, mon père sportif, ma mère svelte, racée, élégante.

Florence et moi parvenions à mobiliser une équipe de volley-ball et ces jeunes athlètes fixaient la tente à une estrade de bois montée sur pilotis. Ni les tourbillons ni les ondées ne la faucheraient plus.

Mes parents souriaient, rassérénés, toujours silencieux. Ils paraissaient très attachés à leur nouveau mode de vie.

À mon réveil, j'éprouve la joie infinie de les avoir revus ensemble, unis, amoureux, superbes. Dans mon rêve, ils ont notre âge, à ma sœur et à moi, aujourd'hui.

Puis je m'interroge sur le sens de ce mirage...

J'ai figuré leur tombe, ce lieu où ils reposent désormais heureux tous les deux, une tombe en toile, légère, agriffée à la colline, où le vent s'engouffre, une tombe où souffle l'esprit.

Grande paix à cette idée.

*

Hongrie.

Depuis la terrasse de mon hôtel, je contemple le Danube qui étale sa puissance paisible sous les ponts de Budapest. Si je l'observe avec étonnement, lui se moque de mon émerveillement, rompu à son statut de Danube, d'altier et indiscutable Danube, ce fleuve qu'ont choisi les villes les plus éblouissantes pour se mirer, ce colosse qui irrigue dix pays, cette divinité aquatique qui, seule parmi les autres, coule d'ouest en est. De toute façon, il n'est pas intéressé par ce que les hommes disent de lui, ce Danube qui n'est pas bleu et qui se jette dans la mer Noire, laquelle n'est pas noire.

Mon anniversaire tombe aujourd'hui, 28 mars. J'ai prévenu mes proches que je ne voulais pas qu'on me le fête, puisqu'il m'évoque le décès de Maman. M'entendant en parler, les membres des ambassades de

France et de Belgique ont très gentiment caché le gâteau que, tout aussi gentiment, ils avaient commandé.

J'espère traverser cette journée sans trop de dégâts intérieurs. Je me concentre plutôt sur le désastre culturel qu'orchestre le président Viktor Orbán dans son pays, coupant les subventions des théâtres, précarisant les éditeurs et les libraires, limitant l'argent à l'apprentissage des danses folkloriques.

Un mot de Maïa, ma belle-fille, envahit l'écran de mon téléphone. Libre, entière, elle n'a pas respecté mon interdiction. Au milieu de son message vibrant d'amour, une phrase entrouvre une porte en moi : « Comme chaque année, cette journée est la tienne et celle de ta Maman. Le meilleur jour de votre vie. Le jour où vous vous êtes découverts et plus quittés, jusqu'à ce que le destin en décide. »

En une seconde, me voici réconcilié avec mon anniversaire. Plutôt que celui de son départ, il représente celui de notre rencontre, à Maman et moi. Je le célébrerai toujours dorénavant.

*

Ma sœur m'envoie une photo joyeuse et triomphante : elle pose avec Alain et les jumeaux sur le balcon d'un chalet alpin, le sien. L'argent de Maman a réalisé ce rêve.

En me réjouissant pour elle, je me flagelle. Comment le dépenserai-je à mon tour ?

*

J'ai enfin trouvé la juste place du souvenir dans ma vie : il enrichit la réalité sans la ternir ; loin de l'annihiler, il l'épaissit.

Les souvenirs de ma mère ajoutent des paragraphes au livre de mon existence, ils ne l'appauvrissent pas.

*

Le bonheur n'est pas un enfant, mais un veuf. Parce qu'il a vécu, désiré, aimé, joui, pleuré, gagné, échoué, regretté, espéré, désespéré, le bonheur sait le prix des personnes, la fragilité de la vie, le privilège luxueux d'exister, l'ivresse d'être là, de ressentir des émotions, d'épouser le monde et de percevoir sa beauté.

Le vrai bonheur affiche sa maturité ; son visage comporte mille rides et cent cicatrices. Il n'y a d'heureux qu'un ancien malheureux.

*

Un songe, de nouveau, cette nuit.

J'ai plus de quatre-vingt-dix ans, presque cent. Impossible de déterminer si je couche chez moi ou dans une chambre d'hôpital tant ma conscience est devenue labile, confondant les heures, les lieux, la veille et le sommeil. J'ai perdu mes chiens, mes amis, mes amours… Si je tiens encore aux êtres plus jeunes que moi, j'ai apprivoisé l'idée de les quitter.

Délicatement, une main me frotte le dos. Je me retourne et roule ma nuque sur l'oreiller. La main me caresse le front, puis un visage se penche vers moi, nimbé de tendresse et de lumière.

– De beaux rêves ?

– Oh oui, Maman, je vais te raconter.

*

Sous mes doigts, elle coule, elle chante, elle enchante… Murmurante, froufroutante, voilà qu'elle trépigne, s'enfle, éclate, puis s'apaise, lumineuse, dorée, produisant des mélodies qui montent le long des livres, s'échappent en bouquet par le vaste escalier, réchauffent de leurs volutes tous les étages de la maison.

Maman est là, sous mes doigts. Je la touche, elle répond.

J'ai trouvé comment utiliser la somme d'argent qu'elle m'a laissée. Durant des mois, j'avais cherché le moyen de rendre palpable l'abstrait.

Un piano de concert incarnera Maman jusqu'à la fin de mes jours. Guidé par Nicolas Stavy, j'ai été présenté à quelques-uns des pianos les plus racés qui séjournent à Paris, puis, entre plusieurs champions, j'ai éprouvé un coup de foudre pour ce Steinway. L'amour à la première écoute ! Bichonné par un artisan, ce digne destrier a affronté des orchestres symphoniques et réagi à des mains exceptionnelles, celles des suprêmes solistes ; il ne connaîtra plus désormais que les miennes. Je lui offre une douce retraite.

Maman est là, sous mes doigts. Elle a la voix de Bach, de Mozart, de Chopin, de Fauré, de Debussy.

« Non, tu n'arrêteras pas le piano ! » Un soir, elle s'opposa résolument à moi. Après avoir quémandé des cours à neuf ans, je peinais à progresser vers onze ans ; peu habitué à ce qu'une matière me résistât, j'en conçus de la colère, pris ma professeure en grippe, cessai de travailler – ce qui aggrava mes difficultés – et exigeai d'abandonner cette torture inutile. Je me heurtai alors à ma mère qui, usant de son autorité, ne capitula pas : « Tu continues ! » Quelques mois plus tard, je l'en remerciais, car j'avais atteint le niveau qui permet de jouer avec plaisir. À maintes occasions, je lui ai témoigné ma gratitude : non seulement le piano constitue l'antichambre de toute la musique, mais il m'offre un confident, dispensateur d'équilibre et de confiance.

Maman est là, sous mes doigts, scintillante, sensuelle, intime.

« Tu n'arrêteras pas le piano. » Et tu ne cesseras pas non plus d'aimer la beauté, de chérir l'art, de rester sensible à ce qui grandit, console, élève ou célèbre le bonheur d'exister.

Les morts sont des vivants qui nous ont faits. Ils seront les morts que nous en ferons.

Quoique morte, Maman n'est pas mortelle. Elle demeure en moi, le meilleur de moi, mon aspiration à l'essentiel. Attendez que ma joie revienne ? Elle est revenue.

Maman est vivante ce matin, et ce n'est pas la dernière fois qu'elle me donnera de la joie.

DU MÊME AUTEUR

Aux Éditions Albin Michel

Le Cycle de l'invisible

MILAREPA, 1997.
MONSIEUR IBRAHIM ET LES FLEURS DU CORAN, 2001.
OSCAR ET LA DAME ROSE, 2002.
L'ENFANT DE NOÉ, 2004.
LE SUMO QUI NE POUVAIT PAS GROSSIR, 2009.
LES DIX ENFANTS QUE MADAME MING N'A JAMAIS EUS, 2012.
MADAME PYLINSKA ET LE SECRET DE CHOPIN, 2018.
FÉLIX ET LA SOURCE INVISIBLE, 2019.

Romans

LA SECTE DES ÉGOÏSTES, 1994.
L'ÉVANGILE SELON PILATE, 2000, 2005.
LA PART DE L'AUTRE, 2001.
LORSQUE J'ÉTAIS UNE ŒUVRE D'ART, 2002.
ULYSSE FROM BAGDAD, 2008.
LA FEMME AU MIROIR, 2011.
LES PERROQUETS DE LA PLACE D'AREZZO, 2013.
LA NUIT DE FEU, 2015.
L'HOMME QUI VOYAIT À TRAVERS LES VISAGES, 2016.

Nouvelles

ODETTE TOULEMONDE ET AUTRES HISTOIRES, 2006.
LA RÊVEUSE D'OSTENDE, 2007.
CONCERTO À LA MÉMOIRE D'UN ANGE, Goncourt de la nouvelle, 2010.
LES DEUX MESSIEURS DE BRUXELLES, 2012.
L'ÉLIXIR D'AMOUR, 2014.
LE POISON D'AMOUR, 2014.
LA VENGEANCE DU PARDON, 2017.

Essais

DIDEROT, OU LA PHILOSOPHIE DE LA SÉDUCTION, 1997.

MA VIE AVEC MOZART, 2005.

QUAND JE PENSE QUE BEETHOVEN EST MORT ALORS QUE TANT DE CRÉTINS VIVENT, 2010.

PLUS TARD, JE SERAI UN ENFANT (entretiens avec Catherine Lalanne), éditions Bayard, 2017.

Beau livre

LE CARNAVAL DES ANIMAUX, musique de Camille Saint-Saëns, illustrations de Pascale Bordet, 2014.

Théâtre

Le Grand Prix du Théâtre de l'Académie française a été décerné à Éric-Emmanuel Schmitt pour l'ensemble de son œuvre

LA NUIT DE VALOGNES, 1991.

LE VISITEUR (Molière du meilleur auteur), 1993.

GOLDEN JOE, 1995.

VARIATIONS ÉNIGMATIQUES, 1996.

LE LIBERTIN, 1997.

FRÉDÉRICK, OU LE BOULEVARD DU CRIME, 1998.

HÔTEL DES DEUX MONDES, 1999.

PETITS CRIMES CONJUGAUX, 2003.

MES ÉVANGILES (*La Nuit des Oliviers*, *L'Évangile selon Pilate*), 2004.

LA TECTONIQUE DES SENTIMENTS, 2008.

UN HOMME TROP FACILE, 2013.

THE GUITRYS, 2013.

LA TRAHISON D'EINSTEIN, 2014.

GEORGES ET GEORGES, Le Livre de Poche, 2014.

SI ON RECOMMENÇAIT, Le Livre de Poche, 2014.

Site Internet : eric-emmanuel-schmitt.com

Composition : IGS-CP
Éditions Albin Michel
22, rue Huyghens, 75014 Paris
www.albin-michel.fr
ISBN broché : 978-2-226-44389-2
ISBN luxe : 978-2-226-18510-5
N° d'édition : 23634/01
Dépôt légal : septembre 2019
Imprimé au Canada